SHODENSHA
SHINSHO

# 歴史のミカタ

井上章一
磯田道史

祥伝社新書

# はじめに——歴史は「ミカタ」だ

磯田道史

日本の歴史教育で惜(お)しまれるのは、歴史のミカタを指南しないことだ。そのくせ、人名や用語ばかりを細かく教える。受験用に『用語集』なるものを与え、子どもの頃から歴史用語に色マーカーで線を引いて、ひたすら暗記させる。これは悪いことではない。歴史を理解し考えるには、確かに歴史用語などの知識が要(い)る。しかし、それだけではいけない。

建築にたとえれば、歴史で暗記したものは、自分なりの家、自分なりの歴史のミカタを汲(く)み上げるための、木材・部材にすぎない。その歴史用語の知識をバラバラに持っているだけでは、材木を脳という倉庫に入れているだけで、家を建てる術(すべ)を知らぬようなもので、宝の持ち腐(ぐさ)れだ。

歴史は暗記物ではない。歴史上の事実をたくさん知りさえすれば、歴史がわかるほど単純ではない。「史実を知ること」と「歴史がわかること」が混同されがちだが、歴史とは史実の集合体ではない。

——歴史の正体は「物のミカタ」である。

旅と歴史を比較すれば、それはよくわかる。旅と歴史は、離れた空間を見るか、離れた時間を見るかの違いである。旅で肝心(かんじん)なのは、何を、どのように見るか、であろう。観光地でも、ただの街角でもよい。自分なりに、旅のルートを選ぶ。どこへ行って見るかが旅である。しかしながら、まったく同じ場所を訪れても、人によって楽しみ方は違う。

たとえば、お伊勢参(いせまい)りをしても、ある人は「おかげ横丁」で伊勢うどんを食べ、「伊勢のうどんは汁が真っ黒だった」との新しい世界像をつかまえる。また、ある人は伊勢神宮にお参りして、内宮(ないくう)の天照大神(あまてらすおおみかみ)様を祀(まつ)って撒(ま)かれた「御塩(みしお)」に興味を持つ。神宮の人に尋ねると、「その御塩はきめこまかな塩にするため伊勢神宮のほとりを流れる五十鈴川(いすずがわ)の河口の、わざと塩分濃度の低い所に、塩を取る砂浜をこしらえ、海水をお釜で煮詰めて作った特別製である」との新しい情報が得られる。こんな具合に、人はそれぞれ、旅で新しい世界認識をつかむものだ。もちろん、地図のような知識が多ければ、旅は楽しみやすい。歴史も史実を多く知っていれば、考えやすい。

そんなわけで、歴史は旅に似ている。歴史は、過去の、どの部分を見るか、どのように見るかで出来上がっている。つまり、歴史は「ミカタ」で成り立っている。旅の行き先も人それぞれであるように、歴史のミカタも、人それぞれであるはずだ。

ところが、歴史教科書なるものがあって、人々は子どもの頃に「歴史のココを見ろ」と、ミカタを指定される。これは、旅で言えば修学旅行だ。国や市町村や学校が、子どもに「ココを見ろ」という旅が修学旅行であり、「ココを知れ」という歴史が歴史教科書だ。私のような歴史研究者が旅行代理店役になって、教科書を作っている。

そして、この教科書の歴史は修学旅行と一緒で、うわべの形式的な美しい風景しか見せない。王侯貴族や有名な政治家や武人、美しい建築、美術館や博物館にあるような芸術作品やその作者、学問や文学のすばらしさを見せる。まさに修学旅行コースだ。ドロドロした人間の欲望や情念・権力が隠したい秘密・大人の世界などは、見事なまでに教科書から取り除かれている。たとえば、淀殿は豊臣秀吉以外の男性と交わって秀頼を産んだのか？という問題は日本史全体の動きにかかわり、学者もまじめに論争しているが、歴史教科書では、触れられない。すさんだ歓楽街のいかがわしい悪所に、修学旅行が絶対に近づかないようにコース設定されているのと同じだ。

だから、ちょっと大人になって、歴史教科書の「修学旅行性」に物足りなくなった人は、司馬遼太郎などの歴史小説を読む。これは、言うなれば「団体バスツアー」の歴史だ。フィクションの混じった小説で、事実関係を追うものではないから、教科書より断然おもしろい。しかし、これも歴史小説家という旅行会社がしかけた団体旅行であって、個人が見たいところを見る個人旅行ではない。司馬史観ツアーのバスに乗る話である。

歴史の本当のおもしろさは、ある程度、歴史知識ができた時点で、大人の人生経験をもとに、自分の見たい歴史の部分を、「自分のミカタ」で見るところにある。本書は、まさに、そういう自分の「歴史のミカタ」を大切にする人のための本である。

日本人の歴史用語や人名の知識レベルは相当なものだ。先進国中、国民一般が、これほど細かく、自国の歴史人物の名前や歴史用語を知っている国は、そうはあるまい。ところが、その歴史知識を使う力、自分なりの歴史観を組み立てる力は、それに比べて、高いとは言えない。「豊臣秀吉の出身地は?」と聞かれると、「尾張の中村」と名古屋市中村区まで答えられる人は少なくない。しかし、外国人に「なぜ織田信長・豊臣秀吉・徳川家康の三人はそろって愛知県生まれなのか?」と聞かれて、見事に理の通った回答ができるかと言えば、話は別である。

世の中を生きるうえでは、「秀吉は愛知県あたりの生まれ」ぐらいの知識でかまわない。むしろ、信長・秀吉・家康が三人とも愛知県生まれである理由を考えてみる習慣のほうが大切だ。繰り返すが、歴史は暗記物ではなく、ミカタであって、考えるものだ。

――歴史の知識も使って、モノを広く、深く、自分でそれぞれに考え、表現する。

これを習慣にしたいものだと感じている。昔、佐佐木信綱（ささきのぶつな）という歌人がいた。第一回の文化勲章受章者だが、この人が「歌に対する予の信念」（明治三十一年）として「ひろく、深く、おの（己）がじし（為為もしくは自恣）に」と言った。これは、そのまま歴史にもあてはまる。いや、歴史だけでなく、物事すべてにあてはまる。狭いミカタ・浅いミカタ・誰かのミカタに左右される必要はない。

ところが、いきなり歴史を自分で考えよう！　歴史知識を使えるようになろう！　と言われても、歴史の個人ヒッチハイクを始めよう！　と思っても、とまどう。私自身がそうだった。こういう場合、一番良いのは、「歴史の個人旅行の名人」と思（おぼ）しき人の話を聞いてみることである。

私にとっては若い時分から、井上章一という人が、そんな歴史の個人旅行の代表的名人であった。もともと京都大学工学部で建築を学んだ人で、歴史や文学畑の人ではない。ところが、知識量と発想がハンパでない。日本のみならず世界中の歴史を、自由に、いや自由すぎるほどの発想で考える。こういう人と対談すれば、話題がどんどん広がるだろう。

この井上さんと「歴史のミカタ」という対談をしませんか、という話が出版社の祥伝社から来たので、すぐに引き受けた。対談には知的生産上のメリットがある。机に座って、著者が代表作のように書いた本は確かにいい。しかし、自分が書けることだけ、書きたいことだけ書くから、肝心なことは逃げて書いていないことも多い。

しかし対談本では、そうはいかない。相手に聞かれれば、嫌でも答えなくてはいけない。専門外のことにも話がおよぶ。ふだん考えないこともその場で考え、即答する。対談者のぶつかりあいで、化学変化が起きて、おもしろい発想が芽生えたりするのだ。もちろん、それは対談相手が、おそろしく博識で、細かいことにこだわらず寛容で、ユーモアがなければ、そんなすばらしい化学反応は起きない。

井上章一は、今は私の勤務先（国際日本文化研究センター）の所長だから、所員の私にとって、ありていに言えば「上司」である。しかし、井上さんは上司への忖度はいっさい要らないほど、自由で、歴史の知的な旅の好きな人である。「歴史の旅行家」と言うよりも、むしろ、歴史の危険な未踏域に踏み込む「歴史探検家」だと思っている。

以前、井上さんに「性欲」を切り口にした歴史分析をやりたいと誘われた。この危険きわまりない歴史探検に応じて、一緒に『性欲の研究　エロティック・アジア』（井上章一編、平凡社）という本を出したこともある。歴史の危険域に入り込む企画だったが、幸いにして遭難は免れ、出来上がった本を見ると、見たこともない歴史の秘境の風景が広がっていた。

だから、井上さんと「歴史のミカタ」を語れば、世間一般の陳腐な「表向きの歴史」ではない、裏に隠された「実体の歴史」が露わになるだろう、と思った。井上さんならではの、そうした実体を鋭く突く歴史のミカタの極意を知りたい、歴史を斬るあの井上流の剣の秘伝を伝授されたい、とも思った。本書では、歴史を動かすものは何か？　といった歴史の本質的なミカタが語られる。軍事力・経済力・制度・文化・宗教の影響はもちろんだが、情念・物欲・性欲まで、はっきり人間の本性まで斬り込んで、本音の部分で、歴史の裏の読み方を語っている。所長と所員で、さんざん話すつもりだ。

そんなわけだから、話題が日本に世界に、縦横に広がって、とりとめなくなるのは、ご勘弁いただきたい。また、学者が心の底で密かに思っている、なかなか検証できない「仮説」も、バンバン出てくるだろう。それは学問的でない、いいかげんなことを言うな、と言われても困る。学術的には一向に白黒つかないが、そんな可能性も考えている、という話はアリだ。そうでなければ、発想が広がらない。発想が広がらない学問は窮屈になって、しまいには壊死する。だから、自由に話すのを、ご海容いただきたい。

井上章一という希代の歴史探検家の「歴史のミカタ」は、どこかしら人生の参考になる部分があるはずだ。歴史の見方がわかれば、歴史は私たちの味方になる。井上さんは、歴史が役に立つかどうか、といった物差しでは物事を考えたがらない人だと思うが、私はどうしても、そこにこだわりたい。

歴史知識を船のように組み立てて、世の荒海に乗り出す人には「海図」になればいい。歴史知識を活かして世の嵐に耐える家を建てようとする人には、その家の「組み立て図」になればいい。そう思いながら、この学者の本音語りの対談を始めたい。未来のわからない世の中を生きるわれわれにとって、この本が、こんな「歴史のミカタ」もあるのか、という愉快な参考書になるのならうれしい。

とにかく、古今を問わず、東西を分かたず、分野も超えて、何でも話せるのが井上さんだ。井上さんから、どこまで知識を引き出せるか、自信はないが、井上さんと話しておもしろくなかったことは一度もない。たぶん、おもしろくなると思うから最後まで読んでいただきたい。

二〇二一年六月

# 目次

## 第二章　歴史は繰り返されるか

## 第三章　歴史の表と裏

## 第四章　日本史の特徴

## 第五章 時代で変わる英雄像

編集協力――瀧井宏臣

# 第一章　歴史が動く時

## 歴史はどのような時に動くのか

**磯田**　歴史はどのような時に動くのか。それはある方向に直線的に動くのか、それとも循環しているのか。また、一人の英雄や個人が動かすのか、それとも民衆の集合心理が動かすのか。そして、動かす動機は何か——。歴史哲学（歴史の展開原理や本質および歴史学の方法論を考察する学問）では、さまざまな「歴史のミカタ」が提示されています。井上さんと対談するのですから、既存の考え方にとらわれることなく、自由に論じていただき、私もそれに答えたいと思います。

**井上**　地球科学の学説に「プレートテクトニクス理論」があります。地球の表面を下から支えている岩盤（プレート）が動くことで、地震・火山噴火・造山運動などが引き起こされるという理屈です。具体的には、地面の下に巨大なプレートがあって、ふだんからすこしずつ動いている。そのため、プレートとプレートの間には歪み（ひず）が生じます。それが小さいうちは、歪んだまま、おとなしく保たれるんですよ。でも、ある限界値を超えた時は、歪みを一気に解消しようとして、プレートが大きく動くんですね。もちろん、地表も暴れることになるわけです。歴史にも似たようなところがあるように思います。

**磯田**　ズレが閾値（いきち）を超えた時に革命や戦争が起きたり、個人が華々（はなばな）しい活躍をしたりするというわけですね。

**井上**　個人の活躍については、波乗りをイメージするとわかりやすいでしょう。どんなに腕の立つサーファーでも、波がない時はカッコいい姿を見せられません。でも、ビッグウェーブが来れば、華麗な演技を披露することだってできます。小さい波の時だと、素人サーファーとグレート・サーファーのできることに、あまり差はありません。大きな波が必要なのです。しかし、どんなグレート・サーファーでも、波に逆（さか）らうことはできない。波の進む方向に進まざるを得ません。

そう言えば、本当に波が動かした歴史もありましたよね。一一八五年、長門（ながと）国の壇（だん）の浦（うら）（現・山口県下関（しものせき）市）において、源義経（みなもとのよしつね）が率（ひき）いる源氏と平氏の間に合戦が行なわれました。関門（かんもん）海峡は波の変化が激しく、流れが変わったところで、源氏は猛攻撃をしかけて勝利した。平氏は滅亡し、源氏が覇権を握ります。義経も一躍、ヒーローになりました。文字通り、波には逆らえないのです。

凧揚（たこあ）げにたとえることもできるかもしれません。凧は、無風だと揚がりません。風が吹いてはじめて大空を舞うことができる。強い風が吹いた時、上手な人は高みに到達させせますが、下手な人は電線に引っかけてしまう。波乗りと同様に、技を発揮できるのは大風の時です。でも、風の向きに逆らって、凧を揚げることはできません。

英雄個人の活躍で歴史が動くことはあると思います。でも、その活躍には「波」や「風」という条件が必要なのではないでしょうか。

**磯田** 私は、歴史には二つの時間があると考えています。ひとつは「クロノス時間」です。クロノスとはギリシア神話における「時間の神」のことで、クロノス時間は時計が時を刻むように日常の延長で等速直線運動をしています。

もうひとつが「カイロス時間」です。カイロスとはギリシア神話の「機会の神」で、彼の頭髪は前髪だけで後頭部は禿げている。カイロスはギリシア語で機会（チャンス）を意味し、通り過ぎたらうしろ髪、つまりチャンスはつかめないことを表わしています。

カイロス時間は何かのきっかけで発現する機会です。そのきっかけは戦争・災害・疫病の他に、技術発展が行き着くところまで行った時も含まれます。たとえば、技術革新の力が地質学のプレートテクトニクス理論のようにプレートを突き上げて断層を動かし、まるで地震のように、社会基盤に変動が起きて、革命や戦争や内乱が生じるという話もありますが、こういった非日常なチャンス、事変の時間がカイロス時間です。

**井上**　カイロス時間に活躍する英雄も、クロノス時間ではただの人でしかないわけですね。

**磯田**　はい。「疾風に勁草を知る」（『後漢書』王覇伝より）という、中国の故事成語があります。強い風が吹くことで、どれが倒れない草かがわかる。つまり、困難や試練に遭遇した時こそ、その人間の本当の価値がわかると説いています。その時代にどのような風が吹いていたのか、その風を分析することが重要ではないでしょうか。そして、活躍した英雄をその風に合った人物としてとらえると、歴史のミカタが広がります。

## 源頼朝が乗った波

**井上**　歴史を動かした英雄の例として、源頼朝を見てみましょう。平安時代、都の皇族で食いっぱぐれた者たちは臣籍降下して平某や源某となり、地方へ、たとえば関東に赴きました。やがて彼らの子孫が増え、開発が進んでいくうちに、切り拓いた土地が重なり合い、争いが起こるようになった。そうなると、調停役が欲しくなる。

待望の仲裁者として、早い時期に現れたのが、平将門です。関東一円へ睨みを利かせだした将門は九三九年に、自らを「新皇」と称しました。もちろん、朝廷からは反逆と見なされます。この反乱は翌年に平定されましたが、調停役がいなくなった関東は、たがいに睨み合う状態に戻ってしまいました。

千葉氏・三浦氏・上総氏・相馬氏・北条氏など「親分衆」は、おたがいに牽制し合います。誰かに調停役を頼みたいが、千葉にすれば、三浦には任せたくないし、三浦にすれば、北条から指図を受けることなどプライドが許さない。

そんな時に、京都から源頼朝が下ってきた。王家の血筋を引く源氏の嫡流、母も貴族で熱田神宮（愛知県名古屋市）の大宮司を務めた藤原季範の娘というサラブレッドです。千葉も三浦も、家柄のいい頼朝の調停なら、納得できる。頼朝は最初から〝担げるお御輿〟だったわけです。

平治の乱で敗れた父・義朝は落ち延びる途中で殺され、自身も池禅尼の嘆願により平清盛から許され、這う這うの体で伊豆（現・静岡県伊豆の国市）へ逃げてきた。そんな頼朝に、はじめは野心などなかったと思います。関東で争いに辟易し、調停役を欲しがっていた親分衆に担がれなければ、頼朝が伸し上がることはなかったのではないでしょうか。

**磯田**　政務をつかさどる国衙には軍事・調停機能が備わっていましたが、その機能が低下していました。関東など地方では無政府状態にもなりやすい。平将門の乱や藤原純友の乱（九三九〜九四一年）を見ればわかりますが、平安時代は都から遠いと地方反乱の討伐に時間がかかるのです。

また、関東の人たちには、前九年の役（一〇五一〜一〇六二年）・後三年の役（一〇八三〜一〇八七年）で奥州を平定した大スター源義家をはじめとする将軍の記憶も残っていました。そのカリスマ性を受け継ぐ人間として、頼朝が担がれました。関東武士は頼朝に期待します。「棟梁になってわれわれの権益を代表し、裁判調停をやってくれ」ということです。

不思議なのは、平氏が頼朝を伊豆に流したことです。伊豆は、流罪でも罪の軽い場所です。しかも、義家が前九年・後三年の役の際に立ち寄った伝説の地でもある。もし隠岐（現・島根県の隠岐諸島）や讃岐（現・香川県）に流していたら、頼朝は何もできなかったでしょうし、平凡な人生を送ったのではとも思います。

**井上**　京都の人間は当時、関東を僻地と見ていました。西国の平氏も、関東平野にはあまり興味がなかった。いっぽう、関東では親分衆たちが平和的な共存の途を探している。関東にリーダーを登場させようとする歴史のビッグウェーブが、近づいていたのです。

それでも、清盛を追い落としたい一派が策動しなければ、頼朝は関東の調停役で終わっていたでしょう。ところが、平氏の横暴を目に余ると感じていた以仁王(もちひとおう)などが、京都から各地にメッセージを送り、それが関東平野にも届いた。いっぽう関東の親分衆も、京都の朝廷で仕える番役や平氏の強要する軍役の負担に不満が募(つの)っている。そういう関東のただなかへ、「人間爆弾」とも言うべき頼朝が投げ込まれたのです。そして、発火した。つまり頼朝は、豆腐(とうふ)を固める苦汁(にがり)のような役目をはたしたのです。

## 歴史を動かした決断の真相

**磯田**　頼朝は関東武者たちを率いて、一一八〇年に富士川(ふじがわ)の戦い(現・静岡県富士市)で平氏を破ります。この勢いのまま、頼朝は京都に攻め上る案もあった。しかし、御家人(ごけにん)たちの意見を聞いて京都には行かず、鎌倉(かまくら)(現・神奈川県鎌倉市)に腰を据えた。この決断がのちの鎌倉幕府につながり、歴史を大きく変えました。御家人たちが頼朝を決断させたわけですが、彼らにすればせっかく得たカリスマ・調停役を手放したくなかったのでしょう。

**井上**　私は、この時、頼朝に選べる選択肢は、そんなになかったと考えています。当時の頼朝は、御輿に乗った状態ですから、関東の親分衆へ上から号令をかける力などありません。千葉常胤・上総広常・三浦義澄が「やめときましょう」と言ったら、従わざるを得ない。それでも京都に行くと頼朝が言い張ったら、彼らはおそらく「どうぞおひとりで」と突き放したでしょう。

頼朝も、あの段階ではわがままを通さず、唯々諾々と親分衆の言いなりになりました。その自制ができた頼朝には、英雄の資質がある。頼朝は時代の大いなる高まりが、あの時は感じられなかった。まだ自分が号令をかける時ではないと、判断したのです。

**磯田**　富士川の戦い後に積極策もあったはずです。たとえば、千葉や三浦を「これから京都に攻め上る。平氏を滅ぼしたら、恩賞があるぞ」と口説く。それでも彼らが躊躇するなら、「ここで降りたら新領地はやらない。恩賞はない」と釘を刺し、「帰るなら、応分の軍勢を残していけ」と申し渡す。こうして、恩賞の欲につられた軍勢を率い、平氏を墨俣川（現・長良川）以西に追って、あわよくば都落ちさせて、武名を挙げてから、都は保持せず、凱旋する。こうなれば、もう、お御輿ではありません。関東の親分衆たちに存分に政治力を発揮できる、という筋書きですが、やっぱり無理かな。

大軍勢を指揮して合戦に勝利する「武者の戦闘欲」が強ければ、そうすると思うのです。しかし、頼朝にはその欲望はなかったようです。千葉や三浦がついてこないと考えて、自身での西上作戦をさっさとあきらめたのでしょう。

**井上**　なるほど、磯田将軍の選択ですね。私は、NHK BSプレミアムの番組「英雄たちの選択」をよく拝見しますが、磯田さんはしばしば合戦図を見ながら嬉々としているように感じます。

**磯田**　所長（国際日本文化研究センター。以下、日文研）に言われるとドキッとしますが、そういうところがないとは言えません。

**井上**　頼朝にその欲望がないというより、あの時はまだできなかったのでしょう。逆に言えば、その状態からよく「鎌倉殿」にまで伸し上がったものだと思います。

**磯田**　頼朝が武家の棟梁・征夷大将軍にまで上り詰めることができた理由のひとつに「成敗分明、理非断決」（九条兼実著『玉葉』）とされた能力の高さがあります。また、大江広元ら京下り官人を連れてきたことも大きい。戦ではなく、調停をはじめとする政治機能を存分に発揮することで、自らの権威を高めたわけです。

**井上**　大江広元は能力が高くても家柄が低いために、摂関家を頂点とする朝廷ではなかなか上に行けませんでした。都にとどまっていては、うだつが上がらないのです。同じように、都でくすぶっていた下級貴族は大勢いたと思います。そんな彼らにも、歴史のビッグウェーブは押し寄せた。その波に乗ったのが、大江広元・三善康信・中原親能だったのです。彼らは頼朝から誘われた時、京都ではできないことが鎌倉ではできるかもしれない、自分の能力を発揮できる場所ができた、と感じたでしょう。

## 頼朝が犯した過ち

**磯田**　頼朝は理非断決、つまり判断力・決断力が優れていた。ただ、決断は求心力の変数でもあります。つまり、求心力が強い時には決断しやすいが、求心力が弱い時には決断しにくいし、決断しても実現できない。一般的に、決断できるか否かを個人の能力に帰する傾向がありますが、いくら個人の能力が高くても、求心力がなければ、反対も多く、決めかねる場合があるのです。

**井上**　頼朝は対平氏戦争・対義経戦争・対奥州藤原氏戦争など、戦闘状態の間は、親分衆に号令をかけられたと思います。というのも、「戦時体制はリーダーシップを強くする」

からです。たとえ優れたリーダーでなくても、戦時下ではリーダーが敬(うやま)われる。少なくとも、戦闘集団はリーダーに従います。指揮命令系統の混乱は、戦闘能力の低下をもたらしますから。ところが幕府ができて敵もいなくなると、これまで負担を強(し)いられてきた親分衆は「いつまでも頼朝の言うことを聞いてられるかいな」と思うわけです。

　だから頼朝は、簡単に義経を滅ぼしたり、平泉(ひらいずみ)（現・岩手県西磐井(にしいわい)郡平泉町）を焼いたりしないほうがよかった。義経を藤原氏に匿(かくま)わせたまま緊張状態を続けることで、権力を保持する。つまり仮想敵を持ち続けることで、リーダーシップを保つ手もあった。

　しかし、頼朝は義経を滅ぼし、藤原氏を滅ぼした。その結果、頼朝は京都の朝廷へすり寄らなければならない羽目に陥(おちい)ります。長女の大姫(おおひめ)を後鳥羽(ごとば)天皇の妃(きさき)にしようとしたのは、その最たる例です。頼朝が関東で親分衆の上へ立つことができたのは、その血筋、つまり「貴種(きしゅ)」である点にしかありません。関東に平和が訪れた段階でリーダーシップを維持しようとした時、ふたたび朝廷とのつながりに頼らざるを得なくなってきたわけです。

　もし平泉を焼かなければ、朝廷にすり寄る必要もなく、堂々と広域暴力団・関東源組(みなもとぐみ)のボスであり続けることができたでしょう。敵を早く滅ぼしたことで、彼のアドバンテージは血統だけになった。そのため、頼朝の権力は不安定になり、政治生命を縮めてしまったように思います。

**磯田**　頼朝は武家の棟梁ですが、千軍万馬（せんぐんばんば）を率いて華々しく勝利した実績はほとんどありません。富士川の戦いは、相手方の平氏が恐れをなして逃げたため、勝利になったものです。ですから、戦闘カリスマの弟・義経を討ち、奥州征伐を成し遂げて、征夷大将軍の威厳をアピールする必要があったのです。

　大姫の入内（じゅだい）は、さらなる貴種性の獲得と公武（こうぶ）接近も意図したように思います。つまり、朝廷に近づき、共存する狙（ねら）いです。これは幕末、江戸幕府の力が弱まった時に持ち上がった公武合体論と似ています。関東の将軍は内心不安なので、朝廷の権威を借りるのです。

**井上**　その後、鎌倉幕府では北条氏が権力を握ります。しかし、北条氏は親分衆のひとりにすぎませんから、将軍として君臨することはできない。他の親分衆はもちろん、源氏に連なる足利（あしかが）氏や新田（にった）氏も、北条ごときがトップというのでは黙っていませんから。だから北条氏は、彼らより血筋で上回る九条家、五摂家（ごせっけ）のひとつですが、そのプリンスや天皇のジュニアを京都から引っ張ってきたわけです。そうしないと、関東平野で威張ることができなかったからです。関東でも、血筋は侮（あなど）れない重みを持っていたと、私は思います。

## ルビコン川を渡った時、カエサルは何を考えたか

**磯田** 頼朝と比較してみたいのが、古代ローマの英雄ガイウス・ユリウス・カエサルです。紀元前四九年、ガリアを平定したカエサルはローマへの凱旋を計画します。当時のローマでは、将軍は遠征の際に統率権（インペリウム）を与えられても、帰国の際にはそれを放棄することが慣習でした。しかも元老院では、カエサルの統率権剝奪(はくだつ)が可決されていました。しかし、カエサルが軍隊を解散して〝丸腰〟になると、政敵グナエウス・ポンペイウス・マグヌスらに討たれる可能性がある。

この時、カエサルは「賽(さい)は投げられた」と言い放ち、兵を率いたまま、ルビコン川を渡ります。ルビコン川は北イタリアを流れる小さな川で、そこを渡ることは国境を越えること、すなわちイタリア本土に入ることを意味します。この決断が歴史を大きく変えました。

**井上** なるほど、富士川を前にした頼朝から、ルビコン川を前にしたカエサルへ、視点を移されるわけですね。川を越えるか・越えないか、ここが決断の分かれ目ということでしょうか。ところで、磯田さんは、カエサルを野心的な人物だと思いますか。

**磯田**　カエサルも、風が吹いたから政敵に立ち向かったと考えています。帰国しなければ反逆者と見なされたでしょうし、丸腰で帰国したら殺されるという恐怖が背景にあった。野心もあったが、恐怖心のほうを強い動機と私は見ます。

**井上**　カエサルに恐怖心があったのは確かでしょう。しかし、野心も持っていたように思います。富士川の頼朝以上にね。というのも、その一〇年ほど前、ヒスパニア遠征に勝利したカエサルは統率権を手放さず、軍隊とともにローマへ入ろうとしたことがあるのです。その時は、元老院の指示に従い、進軍を止めています。ポンペイウス、マルクス・リキニウス・クラッスス、カエサルの三人がローマを仕切る前（三頭政治）、ポンペイウスが牛耳っていた頃のことです。

　カエサルは自分の娘を差し出して、ポンペイウスに取り入ろうとしたこともあります。そういうなかでローマ進軍を立案した。これは政敵の討伐というより、織田信長が正親町天皇の前で行なった京都御馬揃えのようなもので、示威行為だと思います。カエサルはローマ市民の喝采を背景に、伸し上がろうと考えたのです。

　そもそもガリア戦争は元老院の承認もなく、カエサルが自分の名誉と利得のために勝手に始めたものです。しかし、その戦争に勝利したことで市民は熱狂しました。その人気を背景にローマ進軍を行ない、政権を握ろうとした。これは、のちのファシスト党によるローマ進軍とそっくりです。ちなみに、独裁者ベニート・ムッソリーニが標榜した「ファシズム」という言葉は、古代ローマの政務官へ与えられていた、権威の標章である「ファスケス」に由来します。木の束に斧をくりつけたもので、ファシスト党の党章にもなっています。

また、カエサルの『ガリア戦記』は、今でもヨーロッパで古典として読まれており、フランスの優秀だとされる高校生は、その一部を暗唱しています。その含蓄ある言葉の数々は確かにすばらしい。しかし、ガリアへ攻め込んだ下心については書いてない。名著ではあるけれども、歴史の深層を知るには不適当かもしれません。

つまり、カエサルはルビコン川を渡った時に、十分な野心を持っており、「乗るのは今だ」、「今でしょ！」とローマ進軍へ踏み切った。私はそう考えています。

**磯田**　なるほど。私が『ガリア戦記』から想起するのは、豊臣秀吉の『天正記』です。秀吉は御伽衆の大村由己に、自分の伝記『天正記』を書かせたり、『明智討』などの能を作らせています。そして、明智光秀を討つ能を自ら宮中で演じ、力を見せつけました。政治家や軍人が自らの功績・武功を本にする時、そこには勢力を拡大しようという意図がある。政治家は、言わば戦争広告代理店でもあるのです。その意味で、『ガリア戦記』も自己宣伝のひとつと言えるでしょう。

## 欲望と恐怖が歴史を動かす

**磯田**　カエサルは、市民に英雄として認められ出世したいという欲望と、政敵に敗れて命を落とすかもしれないという恐怖の狭間で、決断したことはまちがいありません。私は、人間の欲望と恐怖が歴史を動かすことが多いと考えています。歴史学は、起きた出来事について、歴史家が合理的に説明した論文を書くことで成り立っています。しかし、人間の感情はなかなか合理的な説明がつかない。欲望と恐怖によって本当に歴史が動いたかは証明しにくいので困ります。しかし、人間感情を読み解かないと歴史の実相は見えてきません。

欲望と恐怖のうち、欲望は歴史の攪乱要因になりやすい。というのも、欲望は時に冷静な計算を超えるからです。だから、英雄が歴史を動かす時、その英雄がどのような欲望で動くか、行動原理を見きわめる必要があります。

たとえば、紀元前四世紀にエジプトからインドまでを征服したマケドニア王国のアレクサンドロス大王（アレクサンドロス三世）は、征服欲で動いていたと思います。「あの国が欲しい」という本能的欲望は、「あの異性を自分のものにしたい」に似ているかもしれません。そして、ひとたび得ると、別な国が欲しくなる。だから、容易には止められない。

いっぽう、紀元前三世紀にインドを統一したアショーカ王は、カリンガ国を滅ぼしたあとはダルマ（倫理・法などの規範）による統治を理想として、征服戦争をやめています。多くの死者を出したことを悔いたからと言われています。英雄と言われる人たちの脳内で何が起きていたかを考えることは、歴史のミカタとして有益です。

**井上**　カエサルはエジプト遠征の際、女王クレオパトラと出会っています。クレオパトラと深い関係になったことで損をした面もあったと思いますが、でも愛欲は止められない。言い換えれば、人間は損得だけで動かない。

アレクサンドロス大王も「ここらが潮時だ」と考え、引き揚げを検討したことはあったかもしれません。でも、より高みに上りたいという想いは、断ち切れませんでした。そこに立たないと見えない風景を見たかったのでしょう。ある時点であきらめる武将もいますが、成功している間はなかなか止められないのだと思います。豊臣秀吉もそうで、過剰な征服欲を止められませんでした。ハナ肇とクレージーキャッツのヒット曲に「スーダラ節」がありましたよね。あの有名なフレーズ「分かっちゃいるけど やめられねぇ」というところでしょうか。

これは個人だけでなく、集団つまり会社や国家にもあてはまります。太平洋戦争でも、日本の官僚は、いや軍人でさえ、多くはアメリカに勝てるわけがないと思っていた。生産力を比べたら、劣勢は一目瞭然なのに、窮鼠猫を嚙むような状態に追い詰められていった。日中戦争も多くの人たちが「ここらが退き時や」と思っていたけれども、止められなかった。歴史の大きな教訓ですね。ウェーブに乗る潮時を見きわめるのも大事だけど、そこから降りるタイミングを見抜く力もいると思います。

## 戦争が王をつくる

**磯田**　歴史学の言葉に「War makes king.（戦争が王をつくる）」があります。戦争で勝利を収めることで国外はもちろん国内も、その人に従う体制ができることを意味しています。また、戦争にも、アレクサンドロスのように戦争そのものが目的にも見える場合と、カエサルのように何かを手に入れるために戦争を行なう場合があります。つまり、戦争をすることで王になったり、王たらしめたりする。

学校の授業では、強い王権が成立したから巨大な古墳を造ったと教えがちですが、私は逆に、古墳を造ったことで国家成立が促進された面を重視します。巨大建造物を造るには、たくさんの人を一カ所に集めなければならない。そのためには強制力が必要です。こうして権力が形成されていった。そう考える考古学者もけっこういます。

**井上**　権力者に自信がなかったから、戦争を始め、巨大建造物を造るという面もあるでしょう。自分にはこの国を統治する権利があると何のわだかまりもなく思える統治者は、戦争に打って出る必要がない。建築で、俺はすごいんだといばってみせる必要もありません。でも、新興勢力のカエサルはそのような誰もが認める統治者ではなかったし、何よりもローマ市民がカエサルのリーダーシップに納得しない。だから戦争を欲し、武勲を求めたのです。それは、権力者になりおおせていない人のふるまいだと思います。

ナチス・ドイツの総統となったアドルフ・ヒトラーはベルリンを、イタリアの首相に就任したムッソリーニはローマを改造しましたが、それは為政者としての正統性を獲得しきれていなかったからでしょうね。そのようなふるまいに打って出ざるを得なかったのです。ヤマト王権（ヤマト政権）が大きな古墳を造ったり、あちこちで戦争をしたりしたのも、そのような形で人心を引きつけなければならない段階にいたからじゃあないですか。

**磯田**　確かに。八世紀に聖武天皇が奈良・東大寺の大仏を建立したのは、疫病の流行などで権力が揺らいでいたことが根底にあります。大仏を造ることで求心力を得ようとしたわけです。

## カエサルは歴史から学んでいた

**井上**　カエサルに話を戻しましょう。実は、軍隊を率いてローマになだれ込んだのは、カエサルが最初ではありません。カエサルがルビコン川を渡る約四〇年前、紀元前八八年にルキウス・コルネリウス・スッラ・フェリクスが渡河へ踏み切っています。

　スッラはガイウス・マリウス・ガイウスフィリオ・ガイウスネーポと激しい権力闘争を行なっており、マリウス一派を掃討するためにローマ進軍を決行しました。その後、スッラは独裁官（ディクタトル）に就任すると、マリウス一派を粛清。権力を盤石なものにしようとしました。ただ、この強権発動によりローマ市民の支持を失います。

カエサルはこの事例を知っていて、反面教師としたように思います。というのも、カエサルはローマ進軍後、処刑も粛清も行なわず、寛容な態度に終始したからです。

**磯田**　ローマ市民は現金です。スッラに見世物用のアフリカの猛獣確保を期待し、嫌になると、すぐ支持しなくなります。カエサルは、そんな気質を知っていたから、寛容な姿勢を見せたのでしょう。

なお、この時に許したマルクス・ユニウス・ブルートゥスは後年、カエサルを暗殺する側に回っています。ウィリアム・シェークスピアの戯曲『ジュリアス・シーザー』に登場するシーザー（カエサル）の言葉「ブルータス（ブルートゥス）、おまえもか」はあまりにも有名です。ただ、カエサルがこの時、政敵に対して寛容な態度で接しなければ、カエサルが終身独裁官として権力を握ることはなかったでしょうし、ローマは灰燼に帰していたかもしれません。

**井上**　「すべての道はローマに通ず」という言葉があるように、ローマはどこからも入りやすい無防備な町です。城壁ができるのは三世紀になってからでした。それまではローマへ軍隊を入れないというのがルールになっていました。城壁がないからできた約束事ですね。紳士協定で町を守っていたのです。

そもそもローマは、はじめ共和政でした。でも、周辺国を占領していき、広大な領土を持つ大国になっていきました。そうなると、古い共和的なやり方では、末端まで統治が行き届かないから、帝国主義的になっていく。これは、領土を広げたツケです。最初はアテネやテーベのような都市国家だった。でも、だんだん、ペルシアのような軍事国家になっていく。その過渡的な段階で、ローマ進軍を試みるスッラのような人物が出現し、さらにカエサルが登場した。つまり、時代や状況に合った人物が歴史を動かすわけです。

## 人間の運動法則

**井上**　磯田さんは「人間の欲望と恐怖が歴史を動かす」と言われましたが、英雄ひとりの欲望ではなく、その欲望を受け入れた集団の欲望も、歴史を動かすんじゃあないですか。

**磯田**　デマゴーグ（扇動者）たちの背後には、マス（前近代は民衆、近現代は大衆）の期待が存在します。だから、政治権力を握ろうとする人たちはマスを操（あやつ）ろうとし、その技法を会得しようとする。

また、人間には運動法則があります。たとえばカエサルの場合、偉くなりたい、人々の上に立ちたいという欲望にもとづく運動法則を持っていたと推察できます。民衆にも、生活を安定させたい、他集団に優越したい、物欲・娯楽欲を満たしたいなど、それぞれの欲望があります。未知への恐怖や憧れなど、さまざまな民衆感情が歴史を動かします。

井上さんが言われたように、ローマは要害堅固な地ではありません。ローマ市民は常に、敵から襲われる不安があり、それが異民族を自分たちと違う存在とするミカタを作り出す。カルタゴやガリアへの侵攻は、根底に恐怖感があるのです。その恐怖感に付け込んで、危機から人々を救う救世主のようにふるまうと、民衆は熱狂的に支持します。さらに、異民族との戦争を遂行する際の求心力を使い、国内の政敵に勝利することもできる。カエサルの行動には、そのような運動法則が見て取れます。

十八世紀フランスで、ナポレオン・ボナパルト（ナポレオン一世）は国民に「私に任せてもらえば、われわれの革命を潰そうとする周辺国を撃退してみせる」と言い、イタリア遠征のアルプス越えでは、「私についてくれれば、物品と名誉が手に入る」かのような幻想を抱かせて、兵士たちにアルプスを越えさせました。豊臣秀吉も「私についてくれれば、領地も金銀も与えよう」という甘言で、配下や大名を動かしました。

ですから、権力者あるいは権力を握ろうとする者の言葉の裏に何があるか、彼らの運動法則は何かを冷静に読み取ることが必要です。

いっぽう、彼らのような能力が高く欲望も大きな人間を無理に抑えようとすると、途方もない力で反発して襲ってくる場合があります。私は、これを「バネ効果」と呼んでいます。奈良時代に太政大臣を務めた藤原仲麻呂（恵美押勝）は、吉備真備を左遷したり、道鏡を排除しようとしたりしましたが、道鏡や真備に逆襲されて（藤原仲麻呂の乱）、一族の多くが処刑されました。

現代では、総理大臣に上り詰め、自民党内最大派閥のオーナーだった田中角栄が、腹心の竹下登に反旗を翻されています。田中の元秘書で政治評論家の早坂茂三によれば、竹下は田中の後継を望んでいましたが、田中はそれを察知して二階堂進・江崎真澄・後藤田正晴らの名を挙げたそうです。竹下にすれば、総理大臣の座に就くには、田中と袂を分かつしかない。つまり、あれほど人を見る目があり、人心収攬に長けていた田中ですら、竹下のコントロールを誤ったわけです。人間の運動法則を軽く見たり、見誤ったりすることの恐ろしさを示しています。

**井上**　ナンバー2は、どこまで次席に甘んじ、どういう段階でトップから離反するのか。その限界点に関する見取図の作成、いわゆるトリセツが、野心家にとって有益ですね。

## 天下人の心理

**磯田**　今度は、歴史を動かすもうひとつの要因である恐怖から、日本の天下人三人、織田信長・豊臣秀吉・徳川家康を読み解いてみたいと思います。恐怖の根源は生存欲求ですから、殺されるかもしれないという恐怖心は、歴史を動かす大きな要因になります。特に生存競争の激しかった戦国時代には、それが顕著に表われました。

まず、織田信長です。信長は、自分に刃向かう・敵対する者は容赦せず、必ず滅ぼすようなところがあります。これは「殺らなければ殺られる」という恐怖心が根底にあったように思います。たとえば、一向一揆への根切り（皆殺し）や、朝倉義景と浅井久政・長政の頭蓋骨に漆塗りをして金粉だかをかけ、みなの前で披露するなどは、配下に恐怖心を与えて統治する恐怖政治です。

ただ、信長は視野が広かったのかなとは思います。南宋の五代皇帝・理宗は元の時代になると、その陵墓を暴かれ、頭蓋骨を飲み物の器にされています。のちに、明の初代皇帝・朱元璋（洪武帝）は理宗を憐れんで元に戻させたといいますが、信長はこの話を知っていて、わざとまねした可能性があります。信長は、敵対者を殺せば安心だと考える皮相的な合理主義者でした。殺せばその縁者に恨まれるし、信長に殺されると思った者に自分が狙われる危険が生じるといった、遠回しな読みはありません。

**井上**　そういう知識を漢籍から仕入れていたんですね。教養人だったのかな。だけど、信長のひどさは、やはり戦国時代に根差していると思う。親子・兄弟間でも裏切りはあったし、下剋上もあった。秩序が失われた社会では、人間の剝き出しの姿が露わになるのです。ただ、信長の生涯を見ると、裏切られ続けている。弟の信行から始まって、妹お市の方を嫁がせた浅井長政・松永久秀・別所長治・荒木村重と来て、最後が明智光秀。裏切られるのは相手を信じていたからでもあります。案外お人好しかもしれない（笑）。

**磯田**　「信長はお人好し」は当たっているかもしれません。信長は、戦国時代を終わらせた天才とされています。お茶や城など、アーティスティックな部分に優れたところがあったのは事実です。しかし、ミスもある人です。

たとえば本能寺の変において、信長が少人数の供しか連れていなかったことが、よく言及されます。しかし、たとえ少人数で滞在したとしても、桂川の横に歩哨さえ置いておけば、危機は察知できたはずで、十分逃げることができた。近現代の軍隊も、駐屯の際には必ず前後周囲に警戒の網を張り、歩哨を立てる。これは常識です。つまり、信長は武人としては失格なのです。信長には桶狭間の戦いで見せたような優れた指揮もある半面、政治指導者・軍事指揮官としては、惜しい点もあったと思います。

**信長・秀吉・家康、もっとも能力が高いのは？**

**磯田**　信長・秀吉・家康を能力で比較した場合、私は秀吉が傑出していると考えています。豊臣秀吉の出自はいまだに詳しいことがわかっておらず、父親は尾張中村の農民とも足軽とも言われています。大名家どころか、その上級家臣ですらない。そこから天下人まで上り詰めたことは、本当にすごい実力で、日本史上、空前絶後の存在です。

ちなみに、秀吉が本能寺の変から五年程度で、ほぼ全国の大名を跪かせたのに対し、家康は関ヶ原の戦いから淀殿と秀頼を滅ぼすまで一五年もかかっています。

**井上**　幕末、蘭学経由で、ナポレオンの情報が日本に入ってきました。おもしろいのは、ナポレオンのことを知った武士たちが、秀吉と比べたことです。家康をはじめとする徳川家の将軍たちや、信長とは比較しなかった。ナポレオンに匹敵するとしたら秀吉しかいないと考えたわけです。明治に入ってからも、伊藤博文（初代首相）や安田善次郎（安田財閥の祖）が読んでいたのは『太閤記』（小瀬甫庵著ほか）でした。

**磯田**　とはいえ、秀吉の行動からは、「欲望」ばかりが目につきます。「恐怖」にとらわれて躊躇していたら、あそこまでの出世はできなかった。ただし、そのふるまいは命を粗末にする無鉄砲なものではなく、計算にもとづくものでした。秀吉風に言えば、「夢」を「悉く」平らげるというところでしょうか。

　ところが、晩年になると一転、「恐怖心」に支配されるようになります。それまでの秀吉は自分の命だけでなく、配下はもちろん、敵の命さえ粗末にしませんでした。だから、みな秀吉に慕い寄ったのです。しかし、自らの命の先が見え、秀頼への政権移行が不安になると残忍になりました。たとえば甥の秀次を切腹に追いやっただけでなく、なんと妻妾や子を含む三九人を処刑しています。

　ローマ帝国が繁栄した条件に「寛容さ」が挙げられますが、秀吉もローマ帝国も、それまでの寛容さを失ってからは、坂道を転げ落ちるように衰退していきました。

**井上**　秀吉が死ぬ前に認めた、家康や前田利家ら五大老あての遺書には「返す返す秀頼のこと頼み申し候」とあります。これなどは恐怖心からの懇願でしょうが、とても英雄の言葉とは思えへんね。

## 家康はホトトギスが鳴くまで待たない

**磯田**　徳川家康について言えば、「鳴かぬなら　鳴くまで待とう　ホトトギス」「織田がつき、羽柴がこねし天下餅、座りしままに食うは徳川」など、気の長い人物のように思われています。しかし史料を読む限り、家康は短気としか思えません。

家康の侍医・板坂卜斎がまとめた『板坂卜斎覚書』には、次のような逸話が掲載されています。関ヶ原の戦いに向かっている時、濃霧の行軍だったため、家康の乗っていた馬に家臣が馬をぶつけてしまった。すると家康が怒って、その家臣の旗指物を刀で切り落としたというのです。家康は戦場に出ると、「行け」「進め」と馬の鞍を頻繁に叩いた。それによって拳の同じ箇所が出血して何度も損傷し、指が伸びなくなってしまったという記録も残されています。

また「耳に臆病、目に大胆」という家康評もあります。決断するまでは多くの情報を集めて慎重に準備するが、いざ決断し実行する段になると、一気呵成に大胆に動く。気が長くて動きの鈍い狸親父という通俗的なイメージとは明らかに違います。

**井上**　一瞬一瞬の真実と、視野を長く取った時に見えてくる真実は違うということでしょう。ふだんは短気な人も、長い目で見たら漁夫の利を得た、気長な人物として見えてしまうことがあるのではないでしょうか。

**磯田**　史料を丹念に読み解くと、能力も条件も足りずに、なかなか天下を取れなかった家康像が浮かび上がってきます。能力に関しては前述の通り、秀吉のほうが勝っていたと思いますし、条件に関しても、たとえば家康の所領の三河（現・愛知県東部）は平野が少なく生産量で信長の尾張（現・愛知県西部）よりも、はるかに劣っていました。ちなみに、尾張は水運がもたらす富も大きく、両者の経済力の差は圧倒的でした。

**井上**　だとすると、家康は気長に待っていたから、天下を取れたのではないと言えますね。信長や秀吉の死を待っていた人は他にもいたでしょうし、待つことなく行動を起こした人もいたけれど、彼らは天下人になれなかった。そして、いくつかの偶然が重なり、家康のところに天下が転がり込んできた。

だから、家康のようにふるまえば、天下が手に入るというわけではない。ビジネス書などで、家康のふるまいから学ぼうとするものがありますが、これは読み解き方がまちがっているように思います。いっぽう秀吉は、磯田さんが言われるように、自らの力で運命を切り開いて、天下人になった部分が大きいでしょうね。

## 家康の恐怖心

**磯田**　では、家康を天下人にさせたものは何か。

私は、「恐怖心」だと思っています。関ヶ原の戦いに勝利して征夷大将軍となり、幕府も開いた。それでも、恐怖心は消えない。大坂に巨大な城を構え、関白を受け継ぐであろう豊臣秀頼が存在しているからです。秀頼を残したままでは、いずれ東西戦争となるかもしれない。息子の秀忠はまじめなだけで頼りないから、徳川が敗北するのではないかという恐怖感があったと思います。

**井上**　もし二代目の秀忠が信頼の置ける将軍で、あいつなら任せておけると心底から思えたら、父親の家康は最晩年に、あんな阿漕（方広寺鐘銘事件）で、ずるいこと（大坂冬の陣の講和で大坂城の内堀を埋めた）をせずにすんだやろうね。何せ、秀忠は関ヶ原の合戦に遅れてくる始末ですから。秀忠が頼りないばっかりに、自分の目が黒いうちに心配の種を摘んでおきたかったのでしょう。磯田さんの言われる、「恐怖心」のしからしめるところですね。

俯瞰すれば、太閤検地を行ない、奈良時代より続いていた中世の荘園制に終止符を打った秀吉の決断が、近世の礎(いしずえ)を築いたのであって、江戸幕府も秀吉が整(ととの)えたしくみの上に乗っかったということなのかな。ただ、この歴史的転換は秀吉個人の力量というより、十五〜十六世紀がもたらした、プレートの大きな変動によるもので、誰が天下を取っても同じ方向に向かったと思います。

**磯田**　ええ。家康は秀吉が作った制度の上に多く、乗っかっています。家康が天下を取れた理由に、体が丈夫で長生きしたことが挙げられます。家康は今で言う「健康オタク」で、食べものや養生法(ようじょうほう)にこだわっていました。ここにも、命を長らえたい、短命で不安を抱えたまま死にたくないという「恐怖心」があるように思います。

また、ヨーロッパ人が残した史料には「家康は愉快な顔をしている」とあります。人に憎まれないタイプで、敵が少なかったことも天下を取れた理由でしょう。たとえば、秀吉没後に憎まれ、加藤清正(かとうきよまさ)・福島正則(ふくしままさのり)など豊臣恩顧(おんこ)の大名たちからも人望の厚かった前田利家によって大坂城内で暗殺されていたら、徳川の天下はなかった。ですから、井上さんが言われるように、偶然が重なって天下人になったと言えると思います。

**井上**　家康は「自分は暗殺されるほどの人物ではない」と〝ぶりっ子〟できた人でしょうか。

**磯田**　できたと思いますよ。家康の容姿や言動は、人に警戒されにくいものだったようです。

**井上**　相手に警戒されず、無害なふりができるのも、能力のうちです。また家康には、誰が決断したか、わからない形にするところがあります。たとえば織田家の場合、信長がすべて決めていることは広く浸透していたでしょうから、明智光秀に限らず「信長を殺せば変わる」と思われたでしょうね。

　いっぽう徳川家の場合、家康が決めていることもあるけれども、家臣たちが決めている場合もあるように感じます。たとえば、Aは家康本人が決めているが、Bは酒井忠次が決めているかもしれない。同様にCは本多正信が決めているかもしれないけど、Dは井伊直政や榊原康政が決定に与っているかもしれない。

**磯田**　家康の意思決定については、室鳩巣が『駿台雑話』のなかで披露しています。それによると、家康が本多正信と二人で話す時、話すのはどちらかで片方は無言だそうです。つまり、相手の発言に対してほとんど感想を言わない。また家康が話していて、正信が「これはまちがいだ」と思うと寝たふりを始める。家康もその意味をわかっていて、そこで話を止めたそうです。これだと、間者が忍び込んで盗み聞きをしても、徳川家が何をするかを把握できません。
信長同様、秀吉も自分で決める人でした。自分は優秀だし、自分の発案は実現できるとも思っていました。秀吉の手紙を読むと、あらかじめ「これはできる」と書いてあります。朝鮮出兵（文禄・慶長の役）の時も「もう朝鮮は取った。すぐ唐へ入る」と言わんばかりの手紙を書いていますから、それがふだんの口ぶりだったのでしょう。ですから、「鳴かぬなら　鳴かせてみよう　ホトトギス」は当たっているように思います。

## 秀吉が朝鮮出兵を決断した理由

**井上**　「はかが行く（効率的な）」ことを心がけた合理的な秀吉が、なぜ朝鮮出兵を行なったのか。大いなる謎ですが、たとえば武張った連中のエネルギーを解き放つ捌け口にした、彼らの領土欲を国内から国外に向けさせたという側面はないでしょうか。

**磯田**　そうかもしれません。戦国武士の「もっともっと」と上を見る僭上エネルギー解消は、容易ではありませんでした。

**井上**　スペインとポルトガルのあるイベリア半島は、ある時期までイスラム勢力の支配下にありました。キリスト教側は、レコンキスタ（国土回復運動）による壮絶な戦いを経て、イスラム勢力を追い出します。十五世紀末のことでした。以後、このエネルギーがあり余って、スペイン・ポルトガルの海外進出を生んだと主張する学者もいます。同じようなことが、秀吉の場合もあったとは考えられませんか。

**磯田** 考えられるでしょう。秀吉は「侵攻→征服・占領→検地による石高確定・領地配分→石高応分の軍役賦課で軍事動員→また侵攻」というサイクルで、政権の求心力を保持し続けていました。これは止められない。止めたら倒れる自転車操業の政権だったのかもしれません。そして、秀吉は本気で朝鮮半島を領土にしようと考えていた可能性が高い。なぜ秀吉は征服できると思ったのか。そこには、秀吉を含む当時の日本人の地理感覚があります。

長州藩朝鮮通詞（通訳官）の松原新右衛門の『松原話集（朝鮮物語）』という書籍があります。めずらしい古典籍で、天保四（一八三三）年に写された写本でした。発見した私が、あわてて三万円ほどで購入して日文研の図書館に納めました。これを読むと、日本人は近世前期まで、朝鮮（李氏朝鮮）の面積は四国や九州を大きくしたぐらいで、石高も少ないと考えていたことがうかがえます。

ということは、秀吉は朝鮮半島の大きさを小さく見ていた可能性が高い。当時は石高＝軍事動員数ですから、軍事力も過小評価していたでしょう。ましてや、明の大きさは正確に把握できていなかったというのが、私の推論です。

**井上**　小西行長をはじめとする事情通からのアドバイス、諫める声はなかったのですか。

**磯田**　あったでしょうけれど、征服の欲望が冷静な判断の邪魔をしたのだと思います。朝鮮出兵もそうですが、日本が海外拡張主義を取った時に特徴的なのが、陸上の地面にこだわって失敗することです。たとえば、信長と秀吉はともに拡張主義を取りました。実は、家康も海外への関心はとても強く、新奇なものが好きです。信長は途中で亡くなっていますから、海外進出をどのようにしたかはわかりません。いっぽう秀吉は、朝鮮を制圧後は明を支配下に置き、太閤検地を実施しようと考えていました。要するに、陸上の地面を取っていく方法です。

これに対して、港のある沿岸部に強い影響力をおよぼして交易を行ない、利益や情報を得て国力を上げる方法があります。今で言う「シーパワー（海上権力）」です。スペイン・ポルトガル・オランダ・イギリスは、この方法で国富を増大させました。しかし、秀吉に限らず日本のリーダーには、この発想がなかなかできない。秀吉は、台湾より先に朝鮮に手を出しました。昭和に入って、満州国建国など中国大陸への進出もそうです。とてもコストに合わないことが、あとになってわかるわけです。日本の商人は「海洋進出」が得意なのに。

**井上**　江戸時代のはじめ、ベトナム・タイ・ミャンマーなどには、日本町がありました。ところが、幕府は第三代将軍・徳川家光の時に、全部切り捨ててしまった。いわゆる鎖国に踏み切ったわけです。そこには、キリスト教勢力への怯えもあったと思いますが、あのまま東南アジアと交易を続けていれば、日本は東アジアのスペイン・ポルトガルになっていた可能性だってあると思います。

秀吉のようにコストが計算できる人も結局、土地にこだわった。大陸へ侵攻し、配下の武将に分配できる領地を、朝鮮や明で獲得しようとしたのです。海岸沿いの港に適したところを租借するだけでいいとは思わない。秀吉は交易で大きな利益を上げていましたし、長崎でポルトガル人がしていることも知っていたはずですが、香港やマカオのような都市を築こうとは考えませんでした。結局、土地の管理を通して主従関係を築こうとする封建制の人だったのかもしれませんね。

## 欲望が開けた大航海時代

**磯田**　井上さんが言われたように、日本史では十五～十六世紀に歴史のプレート変動がありましたが、世界史でも地球規模のプレート変動がありました。いわゆる「大航海時代」です。その背景には「欲望」があったと私は考えていますが、いかがですか。

**井上**　大航海時代以前も、そして以後も、商人は儲けるためにあちこちに出かけていきました。彼らの「欲望」はわかりやすい。しかし、ヴァスコ・ダ・ガマ（ポルトガル出身）、クリストファー・コロンブス（同イタリア）、アメリゴ・ヴェスプッチ（同イタリア）、フェルディナンド・マゼラン（同ポルトガル）ら、つまりパイオニアたちが何を考えて、新大陸や新航路を「発見」していったかを読み解くのは難しい。

商人のように「儲けたい」のか、それとも「名誉が欲しい」のか、あるいは「一旗揚げたい」のか、「見たことのないものを見たいという好奇心」なのか。いずれにせよ、彼らの行動は打算の枠を超えています。だからこそ、欲望なのでしょうけど。

大航海時代の扉を開いたのは、アフリカ西岸を配下に探検させた「航海王子」エンリケです。エンリケは、ポルトガル国王・ジョアン一世の王子として生まれます。でも、兄が王位を継いだため、政治の表舞台へは上がれない立場にありました。その欲望は、宗教的なところに向かいます。当時のヨーロッパに浸透していたのが、「プレスター・ジョン伝説」です。海のむこうにプレスター・ジョンの治めているキリスト教の国家があり、そこと手を組めばイスラム勢力を挟(はさ)み撃ちにできるという、妄想としか思えない世界観です。エンリケはこれを信じた。つまり、イベリア半島で勝ち取ったレコンキスタの延長上に、彼の情熱や欲望はあったのです。

いっぽう、コロンブスにそのような欲望、打倒イスラムの情熱があったとは思えない。コロンブスはイタリアのジェノヴァ出身、ヴェスプッチはフィレンツェ出身です。当時、イタリアの商人たちは地中海交易で、トルコのイスラム商人たちと覇権を争っていました。インド洋はイスラム経済圏であり、海洋交易もイスラム勢力が支配していた。そのことはコロンブスらも当然知っていたはずです。最終的には、ヨーロッパ人がインド洋交易をイスラム勢力から奪い取るわけですが、コロンブスのアメリカ大陸発見は、その第一歩ということになります。しかし、コロンブス自身の情熱がどこから来たのかはわかりません。

**磯田**　あの時代の航海はとても危険です。ヨーロッパを出てマゼラン海峡を越えると、船乗りは三分の一も生還できなかったそうです。それに、完全情報より不完全情報で行動する時のほうが、歴史を動かすことがあります。

プレスター・ジョン伝説をもとに、ヨーロッパからアフリカ大陸の大西洋岸、たとえばシエラレオネあたりまで行けば、サハラ以南のアフリカ系社会と接触します。そこにはヨーロッパ世界とも、イスラム世界とも異なる社会が存在しています。そして、大西洋をそのまま西に行くか、南に行って喜望峰を回れば、イスラム勢力と接しない貿易が可能になるでしょう。スペイン・ポルトガルは八世紀から十五世紀までレコンキスタを行なってきましたから、これはパンドラの箱でした。歴史の扉が開いたわけです。

その勢いのまま、ヨーロッパ人は世界各地に進出していきました。日本に来たのが、ルイス・フロイスらポルトガルのイエズス会宣教師です。彼らは小説やドラマでは大人しい宗教者に描かれがちですが、騎士・領主・貴族出身者が多く、精神構造は武人に近い。だから殉教も厭わない。日本の武士と似た性質ですから、織田信長など戦国大名たちと話が合ったのです。

**井上**　イエズス会の宣教師は、南アメリカなどで原住民に食べられるなど、いわゆる食人ですが、危険な目に遭っています。そのような体験をしてから日本へ来た時、日本はヨーロッパに近いところだと思ったでしょう。フロイスは、日本とヨーロッパの違いを大げさに記しています。でも、それは両者の差が比較検討できる範囲に収まっていたことを意味します。

## 黒船が開いた歴史の扉

**磯田** 日本史において、歴史の扉が開いた典型的な事例が一八五三年、アメリカ東インド艦隊司令長官マシュー・ペリーが率いた軍艦四隻の浦賀(うらが)(現・神奈川県横須賀市(よこすか))来航、いわゆる黒船来航です。

**井上** 黒船来航は、日本人に大きなショックを与えたでしょう。やはり、国を閉ざしていたからですよね。「鎖国などなかった」と言う歴史家もいますが、私はベトナム・タイ・ミャンマーなどにあった日本町が切り捨てられたことを重視しています。内に籠(こ)もってしまったため、たかが黒船で驚く民族になってしまった。同時代のヨーロッパが「外へ、外へ」だったのに対し、日本は「内へ、内へ」だった。

**磯田** 中国は伝統的に、周辺国との関係を中華と夷狄(いてき)という華夷(かい)秩序で見ます。そして、周辺国に対して朝貢を求める。東アジアの軍事・外交バランスは、この上に成り立っていました。ところが、豊臣秀吉が朝鮮に攻め込んだので、ややこしくなりました。江戸幕府は中国・朝鮮との衝突を防ぐためにも、国家間の接触を減らしたほうが得策だと判断したのでしょう。鎖国体制は海賊対策にもなりますから、中国や朝鮮も納得しました。

しかし、琉球は不満だったに違いありません。私は二〇一九年に沖縄県で考古遺物を見て回りましたが、江戸幕府の鎖国政策以後に貿易が衰退し、経済力が低下したことが遺物にも表われていました。鎖国による最大の被害者は琉球だったかもしれません。交易は減る。島津に攻められて支配下に置かれる。踏んだり蹴ったりです。

**井上**　琉球もそうですが、京都や大坂のブルジョワたちも儲けをなくしたと思います。

**磯田**　ただ、生糸の輸入は続きましたから、糸割符仲間になれた、一部の本土の商人たちは儲けられました。そもそも糸割符制度は、暴利を貪ったポルトガル商人を抑えるために始まった制度ですから。もし、初期の江戸幕府が「完全に経済封鎖をする。絹の着物など着るな、ぜいたくは敵だ」という政策を取ったら、豪商のなかには徳川の政権を望まない者も出てきたかもしれません。

**井上**　江戸幕府もそこまで愚かじゃあなかったわけです。貿易から上がる利潤も根絶やしにしようとはしませんでした。ただ、商売は商人だけが儲かるのではなく、彼らが富めば国の収益も増えるという富国論的な発想はありませんでした。これが残念でならない。昭和を待たず、「経済大国」になっていたかもしれへんのに。

**磯田**　家康から秀忠に替わったところで、ずいぶん内向きの国になりました。江戸幕府は初期から、商人の貿易利潤を利用していましたが、メインの収入は田畑の年貢でした。しかし中後期になると、年貢収入ではやっていけなくなり、第八代将軍・吉宗政権の後期（一七三五〜一七四五年）や、老中・田沼意次が実権を握った田沼時代（一七六七〜一七八六年）から、幕府でも諸藩でも〝重商主義もどき〟の政策を始めたとされています。

藩の重商主義は、薩摩藩が南西諸島で米を作らせず、サトウキビを強制的に栽培させて安く買い取り、本土で黒糖を専売して、巨万の利潤を得るような極端な政策にもなります。薩摩藩・長州藩はこの専売制を得意としており、明治維新後、彼らは琉球を「処分」し、台湾を植民地化して、藩政時代さながらに利潤を上げ、その金で富国強兵を目指します。つまり、いびつな形のまま、明治政府の重商主義が現われたのです。

**井上**　西郷隆盛は一八七一年、会合の席で、のちに大蔵大臣ほか、多くの閣僚も歴任した井上馨を「三井の番頭さん」と呼びました。豪商（のちに財閥）の三井家と関係が深かったことを皮肉ったのです。

しかし、豪商の番頭めいた人が政権に加わったのは、それがブルジョワ政権だったからです。明治維新は、立派なブルジョワ革命だったのです。しかも、井上だけでなく、他の番頭的な人物も政権に入っています。西郷は、そのことに耐えられなかった。そんな西郷に、多くの日本人はシンパシーを寄せているわけです。私は、商売がすばらしいと言いたいのではありません。でも、軍事力で覇を唱えるよりも、商売で稼ぐほうがマシではないかという思いが拭えないのです。

**磯田**　私は大学院生の時、京都の古道具屋で反古（書き損じの紙）のなかから、井上馨の書状を見つけ出したことがあります。そこには、井上が伊藤博文を指して「閣下のこの前の演説は一〇〇万ドルの価値がある」という文章がありました。それを読んで「この人は演説にまで値段をつけるのか」と驚きました。井上馨は徹頭徹尾、お金の発想の人であり、そういう人物が政権に入ることができるようになったのが、明治維新だったのです。

**井上**　そういう目端の利く人たちが出るようになったことに、時代の変化を感じます。井上馨は日露戦争の時、戦費調達に奔走しましたが、明治政府はコスト感覚で戦争を考えることができたから、闇雲に戦争へ突入するようなことをしませんでした。イギリスやアメリカという味方をつけるだけでなく、引き際(ぎわ)もわきまえていたのです。

## 「時代の波」が見える時

**磯田** 黒船が来なくても、同じような変化の波は来たでしょうが、黒船来航によって、江戸幕府というシステムの崩壊は早まりました。カイロス時間の時、時代の波が露わになる。言うならば、歴史の「見える化」です。それまでも外国の軍艦はあちこちに来ていましたが、幕府のお膝元(ひざもと)、江戸湾(現・東京湾)に深く入ってきたことで「見える化」され、事態が動きました。

**井上** 黒船来航は、「尊王意識」というパンドラの箱を開きました。江戸幕府はペリーに通商を迫られた際、「ちょっと待ってくれ。朝廷に聞いてから返答する」と答えます。それまで、各藩の身分が高くないエリートたちは、賢(かしこ)くない上層部に頭が上がりませんでした。京都の朝廷が幕府の上位にあるという知識はあっても、リアリティを感じていなかった。

ところが、幕府が朝廷におうかがいを立てたことから、下級武士たちも目覚めます。

「天皇と比べれば、わが藩の家老など屁みたいなもの」であることに気がついた。もっと言えば、家老も殿様も将軍もすっとばして朝廷とつながれば、政治に参加できることがわかった。一種の革命運動に火がついたのです。

**磯田**　幕府にとって、朝廷に許可を求めたことが命取りになりました。それまで政治権力を独占していたのに、それを放棄するような行為です。政権担当者である幕閣は、それほど不安だったのでしょう。

　不安になると、何か自分の背後に「後ろ盾権威」を求める心性が、日本の権力にはあります。日本社会は「先例主義」ですから、これまでと違うことを行なう場合には、とても勇気がいるのです。後ろ盾権威は天皇だったり将軍だったり、地方の藩家老なら殿様だったりします。大久保利通や伊藤博文ら維新政府の有司（官吏）にとって、あるいは昭和の東条英機や鈴木貫太郎にとって、後ろ盾権威はもちろん天皇でした。

　後ろ盾権威ともうひとつ、日本の権力が頼ろうとするものがあります。それは中世史家が指摘しているように、中世の寺院・村落で「衆議」「多分の儀」と言われた多数決原理です。近世後期になると、「公議だ」「輿論だ」「公論だ」と言う構成員による多数意見の尊重となります。多数意思への同調圧力です。

ペリー来航の一〇年ほど前から、「言路洞開」が、流行り言葉になっていました。福岡藩の儒学者・亀井南冥の著書『肥後物語』などに出てくる言葉です。亀井は、これからの政治は広く意見を集めて合意形成すべしと主張しました。内憂外患の時代で、政権担当者は自信がないものだから、建白書を出させる形でアンケート調査をして、その結果にもとづいて決めようとした。

しかし、みんなに相談して合意を得ようとすると、意見が違えば、まとめられなくなります。意見がまとまらなくなると、前述の後ろ盾権威が黄門様（水戸藩第二代藩主・徳川光圀）の印籠のように使われます。昭和の終戦工作もそうですね。昭和天皇の「聖断」と「玉音放送」という、日本型合意形成の最終兵器が出されました。日本は軍事政権・国家の時代が長かった島国で、家族制度も直系家族の長男子単独相続が基本の社会でした。つまり上下関係が強く、不平等を割と受け入れやすい体質で、権威主義的とも言われます。幕末だと、将軍が力を失っていますから、後ろ盾権威は天皇しかいません。

そしてアンケート調査後、天皇の権威を引っ張り出したところ、幕府の意向とは異なり、先例を重んじる天皇が「開国はダメ」と渋った。これが将棋で言う敗着（敗北の原因となった手）、ボタンをかけ違えた最初だったと思います。

**井上**　幕府が朝廷におうかがいを立てたのは時間稼ぎだったと思います。ビジネスパーソンへの教訓があるとすれば、「一時の時間稼ぎで情勢判断を誤ったらいかん」ということですね。

**磯田**　決断を求められた時、アンケート調査や合意形成を優先した結果、時間がかかってタイミングを逸してしまい、失敗するケースが多々あります。

　幕末の場合、意見を求められて政治参加が正当化された雄藩が権力を握ることになりました。「自分たちも政治に参加できる」「天皇の許可を得ればいい」ことがわかったので、薩摩藩・長州藩などが、それまで低い政治・経済的地位に貶められてきた公家と結び、天皇の〝印籠〟を使って幕府をやっつける構図です。

**井上**　「処士横議」は、孟子の言葉でしたかね。あれが各地で始まります。みんなが横に連なり、話し合いだしたわけです。

**磯田**　幕府はそれまで処士横議をさせないために、徒党を組むことを弾圧してきました。近世の日本人は、「悪党」など「党」という言葉に悪いイメージを持っていました。西洋型の政党を作ろうとしても、なかなか良い政党ができないのは、そのイメージがあるからかもしれません。日本人は党に入りたくないし、あまり期待しないのです。

## 日本人を恐れた列強

**井上**　黒船来航から遡ること一三年、一八四〇年にアヘン戦争が起こりました。イギリスは当時、インドで製造したアヘンを清に輸出して、巨額の利益を得ていた。これに対し、清はアヘンの販売を禁止する。イギリス商人の保有するアヘンを没収し、焼却もしました。そのために戦争となったのです。

結局、清はイギリスにやっつけられ、南京条約を結ばされました。南京条約は上海など五港の開港や香港の割譲、関税自主権の放棄など、列強同士では考えらない内容になっています。これらを知った幕閣たちは震え上がったと思います。その後、一八五六年に英仏連合軍との間で起きたアロー戦争でも、清はひどい要求を押しつけられています。

日本では一八六三年、長州藩が関門海峡を通る外国船を砲撃し、英仏米蘭と戦争になりました（下関戦争）。しかし列強は、清に突きつけたような無茶な要求を押しつけません。その理由として考えられる二説を申し上げます。ひとつは、英仏米蘭軍も打撃を受けていて、長州藩はそれほど負けていなかったという説。もうひとつは、かなり負けたけれども、日本との交易は西洋側に清との交易ほど利潤をもたらさないから放っておかれた。つまり、列強からは見くびられたという説です。磯田さんは、どちらだと思いますか。

**磯田**　どちらも、すこしずつ正しい気がします。四国連合艦隊は長州藩の下関砲台を艦砲射撃で沈黙させると、陸戦隊を上陸させ、砲台を占領・破壊して記念写真を撮りました。ところが、その陸戦隊は早々に引き揚げています。長州藩側によるゲリラ戦への懸念でしょう。当時、日本の軍人（武士）は足軽も含めれば、人口の七パーセント近くもいました。なかには、佐賀藩の武雄鍋島家のように、アメリカ海兵隊と互角に戦えるスペンサー銃などの装備を備えた部隊もありました。また、イギリスの経済学者アンガス・マディソンなどの研究で、ＧＤＰ（国内総生産）を見ると、日本を一とするとアメリカは一・五～一・七程度でした。その程度の国力差では、日本を占領して長期支配するのは現実的ではありません。

イギリスはリミテッド・ウォー（限定戦争）によって軍事力を見せつけ、その脅しで安定した通商関係を維持しようとしたように見えます。なお、下関戦争時の欧米諸国側の思惑については、最近、保谷徹さん（東京大学史料編纂所教授）が『幕末日本と対外戦争の危機』（吉川弘文館）で研究されています。

では、日本でアヘンを売って儲けられるかというと、それは難しかった。まず日本は中国と違って居留地貿易ですから、貿易品目が管理されています。居留地外へ出てこっそりアヘンを売ろうとすれば、過激な攘夷派の武士に「異人斬り」にされる危険がある。もし攘夷テロの被害者が頻発したら、議会で問題にされます。アメリカもイギリスもフランスも議会制度の国ですから。だから日本の場合は、居留地で通商貿易を行なうのが得策と考えたのでしょう。

**井上** 生麦事件からもわかるように、当時の日本は今のイスラム国（ＩＳＩＬ）以上に怖い国だった。

**磯田** 「異人斬り」は血の気の多い武士の暴挙というミカタがされますが、この無差別テロは日本の独立に役立った面がありました。当時の英米側の史料を読むと、いかに日本人の「異人斬り」を恐れていたかがわかります。

**井上** お金を儲けるために、そんな危険地帯へ入ってくる商人たちもすごいけどね。「儲けたい」という欲望は、恐怖心を上回るんやろか。

**磯田** 日本人は「異人斬り」をするいっぽう、外国人への好奇心があり、近づいてもいます。イギリスの外交官アーネスト・サトウは、宇和島藩（現・愛媛県宇和島市）を訪ねた時に、前藩主の伊達宗城が「フランスと幕府の間で、きたる九月に開港する相談がすすめられているそうだが、自分としてはきらいなフランス人よりも、イギリス人との間に協定が結ばれることを希望する」と言い、フォークダンスを踊っているイギリス士官を見て、二人の家老と手を組んで踊り出したことを記しています（アーネスト・サトウ著、坂田精一訳『一外交官の見た明治維新（上）』岩波文庫）。

　また、フランス海軍士官エドゥアルド・スエンソン（のちに日本最初の海底ケーブルを敷設した大北電信会社社長）は一八六七年、神奈川宿（現・神奈川県横浜市）の茶屋に入った時、隣室の日本人が遠慮がちに入ってきた顛末を記しています。スエンソンらが「フランス、ニッポン、アナシゴト〔オナジコト〕」と言ったら、「もう完全に有頂天に」なり「服はおろか身体の一部分まで手で触れてきて、いろいろと丹念に調べはじめた」そうです（エドゥアルド・スエンソン著、長島要一訳『江戸幕末滞在記』講談社学術文庫）。

　表向きは「攘夷」などと言っているが、実際は、外国人への好奇心が強く、一緒に酒でも飲んでみたいというのが、日本人の本音だったのかもしれません。日本人の国民性は見抜かれていました。いずれにせよ、その根底には好奇心があります。

**井上**　それは、閉ざされていたからこその好奇心だと思います。EXPO'70、すなわち大阪万博の頃まで、それはあったかな。とにかく、外国がめずらしくてね。大勢の人が、吹田市千里の会場へ押し寄せました。各国のパビリオンにいるコンパニオンから、サインをもらう。記念写真を、一緒に撮る。あれは、手軽な国内の海外旅行でしたよ。まあ、その後は日本各地に外国人が出かけ、彼らがめずらしがられる度合いも、よほど弱まりましたけどね。

## 嫉妬心と反抗心が歴史を動かす

**磯田** 黒船騒動を皮肉った狂歌「泰平の　眠りを覚ます　上喜撰（蒸気船）　たつた四杯（軍艦四隻）で　夜も眠れず」のように、江戸幕府は太平の世で惰眠を貪っていたように思われますが、武士政権による軍事国家ですから、世間のイメージよりは武力を発動できる状態にありました。そして幕末には、それまで勘定方など民政・技術部門の一部に限られていた能力主義を軍事部門にまで拡大します。明治政府はそれを受け継ぎ、各専門分野で能力を競わせるなかで、富国強兵に適した人材を選び出して評価するシステムを全面展開しました。

**井上** 江戸幕府の政治は、井伊・酒井・堀田など譜代の小大名たちが担っていました。石高が大きくても、外様大名は参加できませんでした。幕府は、譜代の小大名に対しては「おまえの判断を重んじる」と言い、外様の大大名に対しては「おまえの家は立派で尊重するが、幕政にはかかわらないでほしい」という状態にとどめることで、バランスを取ったわけです。しかし幕末になると、外様の大名が反発し始めました。

**磯田**　政権トップである老中首座・阿部正弘は福山藩一一万石の藩主ですから、経済力は小さく、動員兵力も少ない。いっぽう雄藩は、薩摩藩七二万石・長州藩と佐賀藩三六万石・土佐藩二〇万石でした。しかも、新田開発で実際の石高はもっと大きく、軍事改革を行なって軍備増強を成し遂げている。そこに政治参加の機会を得たのですから、ここぞとばかりに口出しをするようになりました。

『武士の家計簿』（新潮新書）にも書きましたが、日本は「圧倒的な勝ち組」を作らない社会なのです。もっと言えば「ジャンケン社会」です。プレーヤーが三すくみになっていて、それぞれが全部を取らないようにできている。社会学で言う「地位非一貫性」です。

たとえば――企業人はお金を持っているかもしれないけれど、年下の官僚に行政指導されたりする。官僚は地位が安定しているけれど、地位の割に給与は高いとは言えないし、政治家の部下で下風に立つ。政治家は官僚や企業人に対して威張っているところもありますが、いつ選挙で落ちるかわからないから不安定――ということです。

**井上** 幕末、中小大名が担ってきた幕政のしくみにヒビが入っただけでなく、各大名家でも変化が起こりました。それまでも、身分は低くても能力がある藩士の意見を取り入れることはありましたが、彼らの地位が上がることはなかったし、家老など上級武士の権力には抗うことなどできませんでした。ところが、下級武士たちがさまざま手管を使って、藩の上位者を出し抜く事態が起こったのです。

つまり、外様大名が幕閣の譜代大名に抱く嫉妬心と、下級武士が上級武士に抱く反抗心がないまぜになって動いた。時代が大きく変わる時には、そういう男たちの秩序解体へ向かう野望が、大きく働きます。社会変動への期待が、歴史を動かす波になるのです。

**磯田** 歴史のビッグウェーブが来ると、それまで開かなかった扉が開き、「今ならできる」と思うのでしょう。日本の場合、クロノス時間とカイロス時間の差が大きいから、それは時に激しさを増します。私は、それを「ヤケクソ行動」と呼んでいます。多くの場合、外圧を元にしていることも、日本の特徴です。元寇だったり、黒船が来航したり、空襲によって焼け野原にされたりすると、「ヤケクソ」になって動き、一気に世の中が変わるのです。

**井上**　ふだん欲望を抑えていると、何かが来た時に大きく解き放たれる。「今なら欲望を持っていいのだ」と思うわけですね。

**磯田**　明治になると、それまでの士農工商(しのうこうしょう)など、それまでの身分制度は廃止されましたが、旧来の家制度・意識は存続しており、圧迫感がありました。そこで解き放たれたのが、向学心です。学問さえすれば、もう身分に関係なく立身出世できる時代が来たということで、福沢諭吉(ふくざわゆきち)の『学問のすゝめ』がベストセラーになりました。要するに、個人や家の欲望と、組織や国の欲望が合致して、大日本帝国は展開していったのです。

戦後になると、家制度の抑えが弱まり、性と物欲の〝規制緩和〟が、アメリカナイズという形で満面開花しました。アメリカ風であれば、それまでダメとされていたものも、かっこよくて良いものとなりました。おそらく、三島由紀夫(みしまゆきお)の『仮面の告白』(新潮文庫)の裏テーマはそれでしょう。

## 欲望のフランス革命

**井上**　一七八九年に市民が蜂起(ほうき)して絶対王政(十六〜十八世紀)を倒したフランス革命の

引き金についてはさまざまな説があります。そして「欲望解き放ち論」で読み解くこともできるのではないでしょうか。

　フランスのブルジョワは早くから、しばしば貴族に取り立てられてきました。彼らは功績があれば、男爵・子爵などの爵位だけでなく、王を取り囲む官職ももらえた。ところが、十八世紀後半になると、与えられる官職がなくなり、功績を上げても貴族になれなくなった。当時の新興ブルジョワは、この鬱憤から、世の中を変えようとした。その際、下層民を駆り立てる道具として使われたのが、ルソーなどの思想でした。「自由・平等・友愛」は言うならば題目で、根っこにあるのは成り上がりの上昇欲だと思います。

**磯田**　さきほど「バネ効果」について述べましたが（43ページ）、能力が高く欲望も大きい人間を抑えつけると、その力の向かう先を考えなければ危険です。ですから、バネになるであろう力を警戒して対処することが、為政者に限らず、組織の上位者に求められます。

**井上**　近代以降、人類は教育によってみんなが賢くなるような社会を作りました。言い換えれば、多くの人が野心を持つ社会です。しかし、さまざまな野心を按配よく配置することはなかなか難しい。

**磯田**　人間は知らなければ望みません。つまり知識が増えれば、欲望も増大する。その意味では、情報社会は欲望社会でもあります。この欲望は、科学発展につながるようなものもあれば、嫉妬や怒りなどマイナスのものもあります。

私は、スマートフォンは現代の千里眼(せんりがん)&地獄耳であると考えています。何でも見ることができて、何でも聞けるからです。ネットは書き込みによる人権侵害の発生などの問題もありますが、ある意味、意見を表明する場がネット上にあるのは健全かもしれません。大正から昭和初期には、国家や大組織が新聞・出版・宣伝映画・ラジオを握り、大衆に一方的に情報を浴びせていました。大衆がもっぱら受信側で発信できず、意思表明ができない社会は不健全で怖いですから。

**井上**　そのような意見表明を、かつては一握りの知識人が新聞や出版メディアで実現させていました。その後、科学技術の発展とともに、ラジオやテレビが加わった。ところが、今は、それらメディアに通路を持たない人でも発信できる。オピニオンの民主化が進展したのです。ネットやスマホなどの電脳媒体は、活字や電波といった旧媒体を衰退させているでしょうね。

**磯田**　発信者が広がり、情報が溢(あふ)れるようになると、正しいか否(いな)かより、心地好いか・好くないかで判断されることが多くなりました。そして、聞こえがいい情報が検索ランキングの上位に並ぶ。そのことで、個人だけでなく社会が判断を誤ることを心配しています。

**井上**　検索ランキングを、どの方向に風が吹き、波が流れているかも読み解く材料にしている人たちは、けっこういます。その意味では、かつて以上に風を読む技術に長けた人たちが出てくる可能性もあります。ただネットは、ふだんは見えにくい、人々のどす黒い部分を露わにしてしまう。歴史を動かすのは、人間のどす黒い部分も含めた感情の塊だと思いますが、今はそれが露わにされやすくなっています。

**磯田**　歴史学は、性欲・物欲・自己愛といったものを、歴史の主要な動力としては見てきませんでした。いっぽう最近では、自己愛が地域愛などの「空間愛」に転化している傾向も感じます。「自分は○○出身だから」「先祖が○○にかかわっていたから」、この人物が好きという歴史のミカタです。考えすぎかもしれませんが、これは裏返せば、自分から遠いものを排除する感情につながらないか心配になるのです。歴史には、時空を超えた「他者理解」の視点が大切です。

**井上**　人間からどす黒い感情をなくして、みんなが合理的な判断をできる世の中が作れないのなら、差別に向かわない範囲で発散できる場所を設けることは大事なことです。ローマ帝国は、パンとサーカスで市民の鬱憤や不満を発散させましたが、私はどす黒い情熱を全部、阪神タイガースに注ぐことで消尽（しょうじん）するよう努めています（笑）。

**磯田**　なるほど、野球なら平和です。

## 四〇〇年前の「どす黒い感情」

**磯田**　戦国時代から江戸時代にかけて、スペイン・ポルトガルの宣教師たちは日本で布教をしましたが、さまざまな史料を残しています。そのなかには、当時の人間の「どす黒い感情」を知ることができるものもあり、人間の本質を考えるうえでも、とても貴重です。

**井上**　信徒たちの懺悔（ざんげ）記録やね。スペイン人宣教師ディエゴ・コリャードの『懺悔録（ざんげろく）』ですが、あれはすごい本やね。あれを読むと、近代資本主義が人間の性欲を歪（ゆが）めたという説はまちがいであると言わざるを得ない。強姦・不倫・虐待・暴力……その生々しい記述に「こういう人間は昔からおったんや」と思う。その半面、「懺悔の言葉を活字にして出版するのは、カトリックのありかたとしてどうなんや」との思いも抱きます。

**磯田**　人間のどす黒い感情を、古文書から読み解くことは困難です。たとえば神道（しんとう）では、ツミ・ケガレは時間と距離と水が流してくれる。だから、罪や穢（けが）れを言語化しなくてもいい。仏教には「懺悔(さんげ)」という仏教用語がありますが、「我昔所造諸悪業(がしやくしょぞうしょあくごう)……一切我今皆懺悔(いっさいがこんかいさんげ)」と言って、仏(ほとけ)の前で悪行を自覚して経文(きょうもん)を唱えさえすれば、僧侶の前で悪行を具体的に開示しなくてもいい。

いっぽうキリスト教には、神の代理人である神父が信徒に懺悔させて、それを赦(ゆる)す「告解(こっかい)」があります。コリャードら宣教師は、それを書き残したわけです。そこには、当時の日本社会が活写されています。なかでも、当時の日本人が何を罪ととらえていたのかは重要な研究テーマです。

**井上** ヨーロッパ人同士ではとても出版できないでしょう。

**磯田** 日本は遠国(おんごく)だからバレないだろうと思っていたのか、それとも日本を未開の国と見ていたのか。そのどちらか、または両方でしょうね。

**井上** 懺悔した当人にすれば、それによって罪の意識は薄れるから、精神衛生上いい。心理カウンセラーや臨床心理士がいない時代に、その代わりを務めたのは神父だったわけです。

いっぽう教会には、懺悔を通して個人情報が集積される。それには農民だけでなく、ヨーロッパの王たちが重ねてきた悪事や非合法な金儲けなども含まれます。カトリックには、権門勢家の裏情報が集まってくる。バチカン（ローマ教皇庁）は宗教組織という側面だけでなく、アメリカのＣＩＡ（中央情報局）めいた側面も持っていたのです。これを理解しないと、ヨーロッパ史における宗教勢力の力を読み誤ることになります。

## リーダーの二つのタイプ

**磯田**　エイブラハム・リンカーンは「それはできる、それをやる、と決断せよ。それからその方法を見つけるのだ」という言葉を残しています。南北戦争に勝利し、一八六三年に奴隷解放宣言を出したアメリカ第十六代大統領です。リーダー当人ができると信じて決断する。そうでなければ、配下はついてきません。大事を成し遂げることはできないでしょう。

**井上**　決断したあとはブレーンに任せることができるリーダーと、自分でやらないと気がすまないリーダーに分かれると思います。組織が大きくなると、否応（いやおう）なしに取り巻きへ任せなければならなくなります。

たとえば織田信長の場合、織田軍団はベンチャー企業だったから、指導者である信長の号令一下、家臣たちが動きました。いっぽう豊臣秀吉の場合、政権を取りましたから、政治・経済・文化に責任を持たなければならない。必然的に組織は大きくなり、石田三成や小西行長ら五奉行へゆだねる部分が増えました。徳川家康の場合、組織の永続性を視野に入れて、組織の拡大や細分化が行なわれました。

**磯田**　決断する行為そのものが楽しくて、それが欲望の対象になっているリーダーもいます。たとえば上杉謙信は、戦の神・毘沙門天の生まれ変わりを自任したように、戦争を指揮して勝つことがまるでスポーツのように楽しくて好きだった。

　また、本田技研工業の創業者・本田宗一郎は、経営および経営判断は藤沢武夫に任せ、自分は社長になっても現場に顔を出して、自動車開発に熱意を燃やしました。本田は、どのような経営や組織にするかより、何をどう作るかのほうがおもしろかったのでしょう。それだけ任せられるブレーンがいたということでもありますが。

　秀吉は、自分で決めることに興味があった人だと思います。しかし、豊臣家の所帯が大きくなると、すべて自分で決めるのは無理なので、自分の部分的なコピーを作った。それが、石田三成など奉行衆です。しかし、あくまでも部分的なコピーだから、いくら優れていても、秀吉にはなりえません。たとえば、三成は関ヶ原の戦いの際、戦場をどこにするか、兵糧（ひょうろう）はどれだけ必要か、など戦争準備は非常に優れていました。しかし、武将たちの気持ちを十分に摑（つか）んで、その欲望に働きかけるのは秀吉より不得意でした。

## 慎重が求められる時、拙速が求められる時

**磯田**　リーダーのディシジョン・メイキング（意思決定）において、決断が正しいか否か以前に、決断できずに先延（さきの）ばしにしてしまう例が、歴史上しばしば登場します。ルネサンス期の政治思想家ニッコロ・マキァヴェリは「決断力がなく、中立に逃げる者は滅ぶ」と述べています。私は歴史を見ていて、中立が滅ぶとは必ずしも言えないと考えています。なお、マキァヴェリの著作『君主論』はもてはやされますが、マキァヴェリは勝ち抜くことができた成功者ではありません。

日本人は、多くの情報を得て正確に行動することを好む傾向にあります。ただ、戦争や疫病の流行などカイロス時間が流れている場合には、熟慮断行が通用しないことも多く、かえって裏目に出ることもあります。つまり、拙速（せっそく）が良い結果を生むこともあります。

田中角栄は、首相就任時に「内閣はできた時にもっとも力がある。力のあるうちにでき

るだけ早く、大きな仕事をすべきだ」という趣旨の発言をして、日中国交正常化に動き、就任約三カ月後に日中共同声明に漕ぎ着けています。

**井上**　長州藩では一八六四年の第一次長州征討の際、恭順派（俗論派）が主戦派（正義派）を粛清しますが、主戦派の高杉晋作は功山寺挙兵によって恭順派を破り、実権を握ります。高杉に言わせれば「四の五の言っている場合ではない」ということでしょうね。

**磯田**　ただし、同年に長州軍と幕府軍が激突した禁門の変は、長州藩が早いけれど拙い決断をして失敗しています。前年に戦死した河上弥市の辞世の句「議論より　実を行え　なまけ武士　国の大事を　余所に見る馬鹿」のごとく突き進み、京都を丸焼けにして朝敵になりました。実際に火をつけたのは、薩摩藩や会津藩だったとする史料もありますが。

　これは、どさくさの時には決断が早ければ勝てるか否かという、歴史上の実験だったかもしれません。まちがったらすぐに決断して変えることが大事です。であるならば、やらないよりはやるほうがいいし、まちがいに気づいたら、すぐに軌道修正を決断しなければなりません。ただし、アメリカなどと違い、日本の場合は失敗した時に敗者復活する機会が少ないため、一度まちがえたら二度と浮かび上がれないかもしれないという恐怖が先に立つような気がします。

**井上**　もし私たちが、ビッグウェーブの波乗りを苦手にしている民族なら、国家を挙げて波が立たないように工夫することはできますか。

**磯田**　それは難しいと思います。国内だけならともかく、海外からの歴史の大波はそう簡単に避けられないことを、史実は証明していますから。

**井上**　そうですか。でも、ビッグウェーブが来た時、あまり考えずに「行け、行け」「この波は俺のもんや」というような、乗りのいい人が多い民族は危なっかしくないですか。

**磯田**　それはそうです。危(あや)ういものです。うまくビッグウェーブに乗れればいいですけど、溺(おぼ)れる可能性もありますから。この国が、世界の波乗りに向いてない時もあります。幕末・維新の波と違って、今の波は日本人に不向きなのかもしれません。

## 第二章

# 歴史は繰り返されるか

## 反復して起こること

**磯田**　歴史には時を超えて似たような事例が起こることがあります。それは偶然なのか、必然か。本章では、歴史は繰り返されるか否かについて考えてみたいと思います。

まず取り上げるのが自然現象です。太陽の黒点（こくてん）は一一年周期で増減を繰り返し、それにともない、地球の気候も変動します。さらに長い周期の気候変動もありますし、地震など地質学的な周期性が認められるものもある。寺田寅彦（てらだとらひこ）記念館（高知県高知市）には「天災は忘れられたる頃来る」との石碑がありますが、たとえば過去に津波がここまで来たという実例を調査・検討することは、現在や未来に生きる私たちにとって有益です。

**井上**　自然現象に即した歴史は、繰り返されると言ってかまわないと思います。たとえば、天体の運行はかなり正確に反復します。何年何月何日何時に、月がどの角度で見えるかはもちろん、一〇年以上先の皆既（かいき）日食も予想できる。つまり、科学的に将来がわかる。

ただし、毎年梅雨（つゆ）や台風が来ることは予測できても、梅雨が何月何日に始まり、台風が何月何日にどれくらいの規模で来るかを半年前に予測することは困難です。地球温暖化・寒冷化についても、最近はさまざまな人の見立てが提出できるようになってきたようですが、それでも皆既日食を予測する時ほどの精度は望めません。地震に関しては、プレートのずれを原因と考え、大まかな周期で起こることは考えられるけれども、何年何月と予測するのは不可能です。自然現象は、反復性があって科学的に予測できる場合が多い。でも、予測の確かさには序列があるのです。

**磯田**　自然現象だけでなく、人間社会の周期にも目を向ける必要があります。たとえば江戸時代は、約二〇年周期で麻疹や疱瘡などの感染症が流行しました。それはなぜか。もちろん、免疫の持続性もあるでしょう。当時は二五〜三〇年が一世代でした。若くして結婚しても、病気などが原因で、二〇歳まで生きる子どもは半数くらいしかいませんでした。つまり、二五年経つと免疫を持たない人が増え、爆発的流行を止めることができなかったのです。

いっぽう、現代の科学的知見をもとに、壇の浦の戦いにおける波の流れを分析したり、一七八三年の浅間山の噴火をシミュレーションしたりするなど、サイエンスを持ち込んで、歴史を読み解くこともできます。また、気候変動が前近代の農業社会にどのような影響をおよぼしたかなども推測できます。つまり、歴史記録をサイエンスに活かしたり、逆にサイエンスを歴史学に活かすこともできます。

## 予測可能なことと不可能なこと

**磯田**　今度は、物理現象について見てみましょう。物理現象は、「確定現象」と「不確定現象」に分かれます。方程式・初期条件・対象変数によって「解」を得られるもの、たとえば石を落とした場合、万有引力の法則・石の重さ・地球の重力などが明らかになれば、何秒後にどこに落ちるかが確定的にわかります。これが確定現象です。ニュートン力学的な世界です。

いっぽう、ティッシュペーパーを落とした場合、紙や風の向きなど予測が難しく、スーパーコンピュータで落ちる場所の分布を示すことはできますが、どこか一カ所を示すとしたら、それは確率でしか表わせない。これが不確定現象です。揺らぎのある世界です。

人間社会にも、予測がしやすい確定現象と、予測が難しい不確定現象があります。ただ、完全に二種類に分かれるというより、「確定現象っぽい」「不確定現象っぽい」といったように存在します。たとえば、一〇年後の人口予測であれば確定現象に近い。しかし、新型コロナウイルスの流行が、どのようなファッションを生み出すかの予測は難しい。みんなマスクをする、ぐらいしかわかりません。そもそも、これほどのパンデミックが起こることは、ほとんどの人が予測できませんでした。

**井上**　だから、確定的に物事を語れる自然科学者が、歴史学者をやや低く見る傾向もあるのでしょうね。

**磯田**　ただ、西洋の古典的なモデル化科学は、方程式が作れない、入力変数がわからない現象にはお手上げです。いっぽう歴史学は、過去に似た事例があれば、ある程度のヒントを出せます。そこに、拙い科学ながらも、価値が見出せるのかもしれません。

イギリスのエリザベス女王は二〇〇八年のリーマン・ショックの際、経済学者たちに向かって「なぜ誰も危機が来ることがわからなかったのでしょうか」と問いかけました。要路の人が「想定外」として、不確定現象で予見不能だったと言い張り、責任逃れをする可能性があることも、私たちは知っておかなければなりません。

## 歴史は韻を踏む

**磯田**　ボストン大学の神経学者アンドレイ・ヴィシェドスキー教授は二〇一九年、人類の祖先ホモ・サピエンスは約七万年前に脳の突然変異があり、行動が大きく変容したとの説を発表しました。それが正しいとするならば、それ以降、脳の構造は大きく変化していないことになります。つまり、歴史を動かす要素である欲望と恐怖をつかさどる脳の情報処理は、変わっていないわけです。

**井上**　歴史の反復性には、人間の根源的なものがかかわっていることもあるということですね。

**磯田**　かつては、ドイツの経済学者・思想家のカール・マルクスのように、歴史は発展段階的に動くと見る歴史観が流行しました。マルクスの理論は複雑で、実際にはそうとばかりも言えないのですが、一般的には、歴史には発展段階があり、構造的な矛盾が限界に達すると、バネが跳（は）ね上がるように段階的に社会に変化が生じると理解されています。

最近は、こうした単直線的な歴史観より、人類にはいくつかの発展段階の道筋が並行して存在し、複線的に進むのではないかという理論も見直されています。さらに、歴史は螺（ら）旋（せん）的に回りながら次の段階に上っていくという、螺旋的歴史観も見直されています。哲学者の梅原猛（うめはらたけし）さん（京都市立芸術大学学長、日文研初代所長等を歴任、故人）も、円環的で螺旋的な歴史観に注目されていました。

ですから、『トム・ソーヤーの冒険』などで知られるアメリカの作家マーク・トウェインの言葉「歴史は繰り返さないが、しばしば韻を踏む」は至言だと思います。詩が韻を踏むように、歴史も韻を踏む。つまり、似たような事態が起こりうるのです。

**井上**　本当に繰り返しているのではなく、繰り返しているように見える。あるいは、繰り返していると思いたいのかな。たとえば、田中角栄に「今太閤」というキャッチフレーズをつけると、ちょっと楽しそうではないですか。つまり、歴史が繰り返されているように見える部分を語ることで、歴史のミカタが豊かになる。

しかし、歴史は繰り返すという思いにとらわれると、歴史のミカタに曇りが生じます。たとえば、○○の△年後はこうなるという予測など、いくら似た歴史の先行例があっても無理です。「私は□□の再来だ」と言う人も胡散臭い。ですから、「歴史の繰り返し」は比喩でしかありえないのです。天体の運行のように、繰り返されるわけではありません。

比喩の繰り返しであれば、ナポレオンにはカエサルという魁がいたし、カエサルにはアレクサンドロスという魁がいた。大出世した田中角栄の前には豊臣秀吉がいた。では、秀吉は誰を魁と思っていただろうと想像を膨らませると、秀吉のことが深く味わえます。

**磯田**　秀吉が誰を魁としたかというのはおもしろい視点です。秀吉は亡くなる直前、「新八幡」という神号を朝廷に奏請し、神として祀られることを望みました。つまり、自分のアイデンティティを八幡神（やはたのかみ）とされる応神（おうじん）天皇に置いたのです。朝鮮へ進出したのは八幡（はちまん）様（さま）の時代以来だ、というのが、秀吉の自負でした。しかし、秀吉は天皇ではありません。朝廷に拒否されて、死後に後陽成（ごようぜい）天皇から贈られたのは「豊国大明神（とよくにだいみょうじん）」でした。国を豊かにしてくれて、いや御所（ごしょ）にプレゼントしてくれて、秀吉ありがとう、という天皇の答えです。また、秀吉は戦（いくさ）に勝って天下人に上り詰めましたが、関白に就任しました。

**井上** 秀吉ほどの人物ですら、権威を必要としたわけですね。

**磯田** 歴史上同じことは起こりませんが、過去の権威に戻したり、縋（すが）ったりすることはあります。たとえば、ムッソリーニが唱えたのはローマ帝国の復活ですし、ヒトラーは神聖ローマ帝国・ビスマルクの帝政ドイツを継ぐ「第三帝国」を標榜しました。また、ソビエト連邦が崩壊した時、ロシアという前国名が復活しています。

過去の権威に仮託すると都合が良いことがあるから、過去の権威を引っ張りだす。その時、政治家が「主体的に狡（ずる）く」歴史を使っているか、それとも「受動的に情けなく」歴史に使われているかを見抜くことも重要です。

**井上** ムッソリーニらのように、自分で過去の権威を引っ張りだす指導者もいます。でも、田中角栄を秀吉に擬（なぞら）えたのは、世間でした。いずれにせよ、人は歴史の反復という物語を好むんですね。

**磯田**　似ていないものを似ているように擬えておもしろがっている場合もあります。たとえば、テレビ局などは私に「江戸幕府の第三代将軍・家光と、現代の三代目の国家指導者を比較してください」などと言ってきたりします。これはあまりに無茶な比較です。

## ナポレオン神話

**井上**　フランスの第二共和政下、ナポレオンの甥であるナポレオン三世（ルイ・ボナパルト）が大統領に就任した経緯を綴った『ルイ・ボナパルトのブリュメール18日』の第一章冒頭には、次のようにあります。

ヘーゲルはどこかで、すべての偉大な世界史的な事実と世界史的人物はいわば二度現れる、と述べている。彼はこう付け加えるのを忘れた。一度は偉大な悲劇として、もう一度はみじめな笑劇として、と。（カール・マルクス著、植村邦彦訳、柄谷行人付論『ルイ・ボナパルトのブリュメール18日［初版］』平凡社ライブラリー）

ここで言う「悲劇」は、一七九九年にナポレオンのクーデターでフランス革命が頓挫(とんざ)したことを指し、「笑劇」は一八五一年にルイ・ボナパルトが大統領となったにもかかわらず、クーデターへ打って出て、皇帝ナポレオン三世になったことを指しています。

**磯田** このフレーズは、「歴史は繰り返す。一度目は悲劇として、二度目は喜劇として」として人口(じんこう)に膾炙(かいしゃ)していますが、私は「二度目は喜劇として」が印象的です。

**井上** では、なぜ喜劇が成功したかを考えてみましょう。ナポレオン三世は、叔父ナポレオンの神話(一介の軍人から皇帝に上り詰めてヨーロッパ中を席巻した)を背景に伸し上がりました。一介の風来坊では、とても皇帝まで辿(たど)り着くことはできなかったでしょう。でも、このナポレオン神話に乗ることは、ナポレオン自身も行なっています。ナポレオン三世だけのふるまいではありません。

ナポレオンは一八〇四年に皇帝となりますが、一八一四年に退位させられ、イタリア半島とコルシカ島の間にあるエルバ島へ流されます。その後、ヨーロッパの秩序回復を目指す国際会議(ウィーン会議)が始まりますけれども、「会議は踊る、されど進まず」となります。

そして一八一五年、ナポレオンはエルバ島を脱出して、フランスに上陸する。ナポレオンが脱出したという連絡は、すぐパリへ届き、フランスの軍人たちはナポレオンを捕らえに向かいます。ナポレオンはこの時、あえて抵抗しませんでした。身ひとつで軍人たちと向き合い、無防備な姿を晒した。「かつて配下だった者たちが、俺を捕縛できるはずがない」と、自らの神話に賭けたのです。兵士たちは元皇帝の姿を見た瞬間、その威光に平伏します。結局、ナポレオンはパリまで凱旋帰国のような行進をしました。

つまり、ナポレオン三世だけが喜劇であったのではなく、ナポレオン自身もナポレオン神話に乗っかる喜劇を演じているわけです。ナポレオンには「それだけの神話を作った男だ」という自負があったいっぽう、「捕らえられたらそれまでのことだ」という覚悟もできていたように思います。

**磯田**　人間が神話に寄り添いたくなるのは、現世への不満がある時です。つまり、兵士たちにはルイ十八世への不満があった。一八一四年にフランス国王になったルイ十八世は、外国の言うことばかり聞いて、本当に国を守ってくれるのか、国民の間に不信感が芽生えます。しかも、兵士の給料が大幅にカットされたため、ナポレオンなら元に戻してくれるのではという期待もあったかもしれません。

**井上**　ナポレオンはエルバ島で、それらの情報を逐次(ちくじ)手に入れていたでしょう。国民は不平不満を抱き、ルイ十八世への不信感も高まっている。「行くなら今だ」と思ったかもしれません。

ここで吟味しておきたいのは、なぜナポレオンがエルバ島を脱出できたかという点です。前述のように、ウィーン会議は膠着(こうちゃく)状態に陥っていました。そこで、イギリスは会議に集(つど)った諸国へ揺さぶりをかけようとする。エルバ島へ派遣していた海軍のナポレオンに対する監視を、わざとゆるめさせたのではないか。ひょっとしたら、ナポレオンを焚(た)きつけるようなことだってしたかもしれない。これは、ナポレオンの英雄性をやや見くびるミカタです。ただイギリスも、まさかナポレオンが神話を肥(こ)やしにしてパリへ凱旋し、皇帝に返り咲くとは思っていなかったでしょうが。

**磯田**　当時のヨーロッパでは王侯貴族への尊崇の念がいまだ根強く、それは革命の震源パリから遠ざかるほど強かったと思います。実際、ナポレオンはエルバ島でミニ宮殿のようなところに住み、ある程度の行動の自由も認められていました。つまり、形ばかりの島流しでした。だから、逃げられる状態に最初から置かれていたわけです。また、エルバ島はヨーロッパ大陸から遠くない。ですから、ナポレオンが逃げるリスクへの備えが十分だったとは言えません。もちろん、結果を知っていたら、イギリスも手を抜いたりしなかったでしょうが。

**井上**　イギリスは、ナポレオンの能力――神話と言い換えてもいいかもしれません――を低く見積もっていたかもしれませんね。結局、その甘い判断は高くつきました。

**磯田**　ナポレオンはエルバ島から凱旋して、皇帝になりますが、俗に言う「百日天下」でした。イギリス・プロイセン連合軍とワーテルローで戦って敗れ、二度目の島流しになります。今度は、アフリカ大陸西岸から二八〇〇キロメートルも離れた、イギリス領セントヘレナ島に流されました。

**井上**　さすがにイギリスも、今度は脱出などとてもできないような状態に、ナポレオンをおきます。厳しく監視したようです。絶海の孤島へ押し込められたナポレオンは、自身の神話を増幅させることに余生を捧げます。それこそアレクサンドロスにも負けないような英雄像を語りました。ラス・カーズに聞き取らせた『セント＝ヘレナ覚書』が、それです。この神話が、のちにナポレオン三世を動かしたわけです。神話は、歴史を考える際に侮れない力を持っていることがわかります。

**磯田**　ナポレオンの死には、砒素による毒殺疑惑があります。公式の死因は胃がんとされていますが、ナポレオンは臨終の床で「私はイギリスに暗殺されたのだ」と言ったとか。これまた、ナポレオン崇拝者を焚きつける要素になったと思います。

## 昭和天皇とナポレオン

**磯田** 昭和天皇は皇太子時代の一九二一年、イギリス・フランス・イタリアなどヨーロッパ諸国を歴訪しています。当時、出版された『東宮御渡欧記 坤の巻』（溝口白羊著、日本評論社出版部）には、昭和天皇をナポレオン神話に肖（あやか）らせようとした場面が出てきます。

ナポレオンの遺体は、パリの廃兵院アンヴァリッドに納められていますが、そこにはナポレオンが使った指揮刀もありました。その指揮刀を、廃兵院長マルテール将軍が昭和天皇に握らせようとしたのです。そうすることで、軍事の天才ナポレオンに肖らせようとしたのでしょう。日本側のお付き武官がしかけたのかもしれません。ところが、昭和天皇はナポレオンの指揮刀はじっと見ただけで無言。むしろ、その後、第一次世界大戦で廃墟になったフランス北東部の町ヴェルダンを見て涙ぐみ、「戦争とはこれほど悲惨な事態になるのか」と深く心に刻み、それが終戦の決断に大きく影響したと言われています。

**井上**　その武官には、尊王精神がなかったのかな。お付きのふるまいとしては、非常に失礼ですね。ナポレオンは一代で皇帝に伸し上がった英雄ではありますが、二六〇〇年も続いたことになっている日本の王家と一緒にしてはいけない。ましてや、日本には『古事記』『日本書紀』という神話があり、一八六八年に明治政府が成立した時、天皇は皇祖・天照大神以来、天意を持って即位しているとしましたから、その方針とも矛盾します。

**磯田**　ナポレオンは最終的には、戦争に負けて島流しになっています。縁起が悪いんです。ナポレオンの指揮刀など触らせないようにするかと思ったら、逆でした。だいたい、日本陸軍は建軍当初こそフランス型を志向しましたが、普仏戦争（一八七一年終結）でのフランスの負けっぷりを見て、プロイセン型に変えたはずです。その負けた側のフランスの英雄の指揮刀をありがたがっているふうですから、まったくミーハーと言うか……あきれます。

## 西郷隆盛が選ばなかった「二度目の喜劇」

**井上**　ナポレオン神話についての話は、実は、西郷隆盛論の前振りというつもりで語らせていただきました。明治維新が一段落したあと、西郷は権力闘争から身を引いて、一八七三年に郷里・鹿児島に引っ込みました。自らを、エルバ島のナポレオン状態に置いたわけです。

たとえば、プロ野球の選手は所属チームがどこであろうと、読売ジャイアンツの終身名誉監督である長嶋茂雄さんに対面することで、直立不動の姿勢へ追い込まれます。少なくとも、ある世代の選手までは。そのような威光は、西郷にもありました。いや、おそらく長嶋さん以上だったでしょう。彼は維新の功労者であり、大久保利通・木戸孝允とともに「維新の三傑」と呼ばれました。しかも当時、日本でただひとりの陸軍大将です。

神話に包まれる度合いでは、群を抜く英雄だったのです。これは大久保がついに持ち得なかった資質です。大久保がそれを妬んだかどうかはわかりません。ですが、西郷の神話力に太刀打ちできないことはわきまえていたでしょう。このような西郷だからこそ、桐野利秋ら士族たちが大勢寄ってきたわけです。

西郷は鹿児島に閉じ籠もったまま、明治政府の軍隊を熊本で迎え撃ちますが、この時、西郷にエルバ島から脱出するナポレオンの道はなかったかということを、私は夢想するわけです。つまり、政府軍と戦うのではなく、自分の神話に賭けて無防備なまま東京に向かって行進すれば、ナポレオンのように東京へ辿り着けたのではないか。
　そうなれば、第二維新が起きた可能性もあります。「二度目は喜劇」という形で、歴史を動かせる。そんな神話力の持ち主は近代日本史上、西郷ぐらいしか思いつきません。でも、西郷がそう考えなかったところを見ると、周りに良いアドバイザーがいなかったのかもしれない。あるいは、完全に身を引こうとしたのか。それとも、政府軍と戦ったところを見ると、御輿に担がれただけでなく、まだ何ほどか捨てきれない思いがあったのだろうか。

**磯田**　西郷はナポレオン神話に則って失敗したのでは、というのが、私の見立てです。西郷のナポレオン・ファンぶりは有名で、自宅には子どもたちの参考になるようにジョージ・ワシントンなどと並べてナポレオンの絵が貼ってあったそうです。いっぽう、自分の部屋には——ここが西郷のおもしろいところですが——セント・バーナードの絵が貼ってあったそうです。
　つまり、西郷の自意識は、困っている人がいたらウイスキーの樽をつけて雪道を急ぐ大型犬なのです。忠犬に憧れる純真さをそのまま大人になっても持っている、きわめて稀な人間です。それだけに、本人も言っている通り「始末におえぬ人」です。

西郷は明治政府の汚職に憤り、不平士族たちに同情的でした。そして、自分たちが鹿児島から陸路で東京へ行軍していけば、不平士族が馳せ参じ、ナポレオンの凱旋行軍のように、東京に近づくにしたがって、雪だるまのように増えていく。その兵力の大きさに、大久保利通も岩倉具視も自分たちの言うことを聞かざるを得なくなるだろうと考えていた。つまり、デモ行進を兼ねた行軍です。

**井上** 余談ですが、セント・バーナードをフランス語読みにすれば、サン・ベルナールとなります。ナポレオンが自らをカール大帝やハンニバルに擬えたのは、一八〇〇年のアルプス越えからでした。仏伊国境のサン・ベルナール峠を、自分の軍に通過させ、名将となりおおせます。まあ、西郷がそこまで了解したうえで、セント・バーナードを好んだとは思いませんが……。

話を戻します。西郷にはエルバ島を抜け出したナポレオンのようなプランがあったのですか。

**磯田** 史料は残っていませんが、あれほどナポレオンを尊敬し、その生涯を知悉していた西郷がまったく考えなかったとするほうが不自然です。

しかし、西郷たちは現実を見誤っていました。一八七七年に起こった西南戦争では、政府軍側は最新技術をまとっていました。鉄道で兵員・弾薬・食料を輸送し、さらに電信機で情報・指揮系統を統一して、包囲殲滅作戦を可能にしました。さらに、岩倉らは手分けをして旧藩主に説諭文を送り、各藩主から藩士たちに西郷軍に加わらないよう説得させる作戦を展開していました。

では、西郷はどうすれば成功したのか。答えは明快です。井上さんが指摘した通り、西郷は陸軍大将の軍服を行李に入れて船に乗る。横浜か品川に着いたら、別路で東京に潜入した桐野たちと合流し、日本唯一の陸軍大将西郷隆盛名で、近衛歩兵第一連隊（連隊長野崎貞澄は薩摩藩出身）に厳命するのです。「大久保・木戸・岩倉を拘束せよ」と。

当時の日本陸軍で、階級はもちろん風格でも、西郷に敵う者などいません。また、同連隊は薩摩藩出身の軍人だらけです。西郷が兵舎に入れば、彼らは大歓迎して、その威風に従ったでしょう。部隊のほんの一部でも動けば、大久保の内務省・警察の火力では敵いません。あっというまに首都は制圧されます。西郷は人殺しをしないでしょうから、きっと「人斬り」で名を知られた桐野が大久保たちをやっつけてしまったでしょう。西郷の天下になったかもしれません。しかし、西郷はしなかった。

**井上**　それはなぜですか。野心を失っていたのでしょうか。

**磯田**　全国の同志と行進して、ふただび世を一新するという西郷らしい発想のせいかもしれません。西郷は、国民運動的な精神政治が好きです。また桐野たちには、西郷をひとり丸腰で上陸させせたら、岩倉や大久保たちに殺害されるかもしれないという恐怖があったのでしょう。それで、海上ではなく陸路で西郷を守りながら東京に上る作戦を選び、壊滅させられたというのが、西南戦争の真実だと思います。

## 歴史を動かした西郷神話

**井上**　西南戦争の最後、西郷は城山(しろやま)（鹿児島県鹿児島市）で自害しました。首のない遺骸が見つかります。ですが、その後、ロシアへ逃げ延びた、西郷は死んでいないという噂も広がります。そして一八九一年、来日するロシア皇太子ニコライ（のちの皇帝ニコライ二世）とともに西郷が帰ってくるという、まことしやかな噂まで飛び交(か)いだすのです。

これに恐怖を感じたのが、西南戦争で西郷軍と戦ったことのある津田三蔵(つださんぞう)です。警察官の津田はサーベルでニコライに斬りつける大津(おおつ)事件を起こします。西郷がロシアから戻ってくれれば、自分の武勲も取り上げられると考えたんですね。この事件で、当時の日本は、政府上層部から国民へ至るまで、ロシアに戦争をしかけられるのではと悩まされました。西郷は死してなお、歴史を動かした。いや、西郷神話が歴史を動かしたのです。

**磯田**　西南戦争では、政府軍六四〇三人・西郷軍六七六五人の死者を出しています。にもかかわらず、地元・鹿児島はもちろん、全国的にも西郷人気は圧倒的です。

**井上**　西郷はたくさんの若者たちを死なせたのに悪く言う人がひとりもいない。いっぽう、近代日本を作ったのは大久保なのに良く言う人はひとりもいない――と昔から言われてきましたね。

**磯田**　ナポレオン神話を継いだナポレオン三世のように、西郷神話を継ぐ人物は出ませんでしたが、出た可能性はありましたか。

**井上**　ナポレオン三世が幼い時から亡命生活を余儀なくされたのに対し、西郷の嫡男・寅太郎、弟・従道、従兄弟・大山巌はみな陸海軍で栄達し、華族になっていますから、その可能性は低かったと思います。

**磯田**　幕末から明治にかけて、政府側の人物で反乱を起こしそうな人物を挙げるとしたら、第一に長州藩出身で奇兵隊を創設した高杉晋作、第二に佐賀藩出身で司法卿を務めた江藤新平、第三が薩摩藩出身の西郷隆盛です。第一・第二・第三は実際に反乱を起こしましたが、高杉は維新前に結核で亡くなっています。もし彼が立ち上がったら、ゲリラ的に大坂の兵器工場を爆破したり、大久保など政府高官の暗殺作戦も同時並行で行なったりして、大いに暴れたでしょうから、成功したかどうかは別として相当質が悪かったことが想像されます。それと比べても、西郷はきわめて正攻法です。

**井上** 高杉は、一か八かの修羅場をエンジョイできる人だったんでしょうね。ただ、その捨て鉢なギャンブル精神の半分くらいは、不治の病に駆り立てられていたように思います。健康な人だったら、もうちょっと自分の命を惜しむ気がするのです。

## 徳川慶喜の失敗

**磯田** 「単身・丸腰」で行かずに失敗したもうひとりが、最後の将軍・徳川慶喜です。一八六七年一二月、王政復古の大号令のもと、慶喜の辞官納地（内大臣辞任と領地の返還）が決定します。慶喜は受諾の旨を伝えながらも、二日後には京都を出て、大坂城に籠もるのです。城内では当然、薩長と戦う主戦論が盛り上がります。

この慶喜の行動に対し、新政府では大久保利通が強硬論、慶喜の領地返上を主張します。いっぽう松平春嶽（前福井藩主・新政府では議定）は、領地の調査にとどめる穏健策を提案。岩倉具視もこれに賛成しました。結局、これが政府決定となり、春嶽らが慶喜に通告。慶喜もこれを受け入れて、京都に戻ることに同意しました。ところが、なぜか慶喜は旧幕府軍を京都に進軍させ、鳥羽・伏見の戦いへと至るのです。

　なぜ、慶喜は「単身」で新政府のあった御所に赴かなかったのか。そうしていれば「朝敵」になることもなく、鳥羽・伏見の戦いに始まる戊辰戦争は違った形になったはずです。このミカタは、三谷博さん（跡見学園女子大学教授、東京大学名誉教授）や家近良樹さん（大阪経済大学教授）も言及されています。

　新政府はこの時、慶喜のために政権内にポジションを用意しようとしていました。ところが、当の慶喜が出向かない。理由のひとつは、慶喜がインフルエンザにかかったことです。熱があった慶喜は、主戦論を主張する配下たちに「いかようにとも勝手にせよ」と告げてしまい、それを受けた幕府軍は勇んで、京都に向かいました。病気が歴史を動かす。これは軽視されがちですが、歴史のミカタとして大切です。

　もうひとつの理由は、尾張藩や越前藩がお迎えを出さなかったことです。つまり、護衛がなかった。慶喜は単身で行くのが怖かったのです。何しろ、ご飯を炊く鍋に使われている銅の害を恐れて銀で作らせるぐらい自己防衛本能が強い人ですから、自分の命を西郷・大久保ら下級武士たちにゆだねて出ていくなんてことはとてもできないのです。

**井上**　慶喜は、源平合戦で滅ぼされた平氏の公達(きんだち)以上に公達的だったのでしょう。それでも、前代（第十四代将軍・家茂(いえもち)）や前々代（第十三代将軍・家定(いえさだ)）より勇ましく見えますが、とても武家の棟梁には見えません。

**磯田**　歴史上の人物には、戦場で弾(たま)が飛び交うなか自分の命を賭けることが楽しくてしかたがないタイプと、そうでないタイプの二種類が存在します。前述の上杉謙信やナポレオン、フリードリヒ大王（フリードリヒ二世）は前者で、慶喜は後者です。

**井上**　ナポレオンは南フランスに上陸し、丸腰で立ちました。目の前には、彼を捕らえに来た兵士たちが大勢いる。しかし、彼が一歩二歩と前へ歩き始めても、シーンとして誰も撃ってこない。やがて、捕縛部隊の将兵から、「皇帝陛下万歳！」の声が沸(わ)き起こる。この時、ナポレオンはうれしかったでしょうね。「俺の神話は生きている」と、全身を快感のようなものが貫(つらぬ)いたと思います。もちろん、撃たれたらそれまでだからギャンブルですが、それだけに賭けで勝った喜びは大きいと思います。

**磯田**　権力者は権力が欲しいのではなく、自分の神話の信者が欲しいのです。自分の知力や人間力で伸し上がり、地獄に落ちるか、天上に昇るか、それこそ刃の上をやじろべえのように渡り、自らの神話に酔う。豊臣秀吉など、その典型です。巨城を築かせ軍兵を集めて、秀吉神話を作りました。幕末でも、坂本龍馬がリスクの愛好家です。慶喜は、彼らと同じように刀を差してはいますが、まったく別のタイプです。

## 歴史は神話化する

**磯田**　このように見てくると、歴史は繰り返されるかという命題において、神話化がひとつのポイントであることがわかります。「歴史が歴史を作る」と言い換えられるかもしれません。歴史は起きたことを記録すると同時に、その記録が神話化して、現在・未来のわれわれの歴史作りに影響するのです。

**井上**　明治政府は王政復古の大号令で、神武創業に戻り、二度目の歴史を繰り返すと宣言しました。そして、律令体制に肖り、大蔵省などの組織を整えた。本気でそうしたのかもしれないけれども、むしろ太古の時代へ戻ると宣言することで、直前の時代つまり江戸時代を否定することに意味があったのだと思います。

江戸幕府と違う政治を行なうと言っても、なかなか未来図が描けない。もしくは描けたとしても、保守的な日本国民には受け容れられないかもしれないと考えた。そのために古き良き時代に戻るかのような構えを打ち出したのではないでしょうか。

**磯田** そう思います。家族がアメリカのワシントンから帰ってきて、「ワシントンの政庁にはギリシアやローマ風の建築が多かったけれど、なぜだろう」と聞かれました。それで、アメリカは歴史の浅い国だ、ギリシア・ローマのような文明国・覇権国の正統なる継承者なのを建物で自己認識し、対外的にもアピールしているのではないか、と答えました。

**井上** 確かに、ワシントンはギリシア・ローマ建築のテーマパークめいて見えますよね。アメリカ初代大統領ジョージ・ワシントンは、首都をメリーランド州ジョージタウン近くのポトマック川近く(現・ワシントンD.C.)に定めると、トマス・ジェファソン(のちに第三代大統領は)とともに建設計画を進めました。

このジェファソンは、自らの邸宅モンティチェロを新古典様式でしつらえています。そんな彼の指導もあって、首都にはまるでローマ帝国のような街並みができました。だからと言って、アメリカをローマ帝国の再来・復活ととらえすぎるのは、どうかな。そもそも、あの様式がはやった時代でもあったんですよ。ワシントンが建設されだした時代は。

**磯田**　あれはあくまで、アメリカの新古典主義なのですね。それに対し、現在のドイツ・ベルリンの連邦議会議事堂を見た時、円形かつガラス張りなのが印象的でした。

**井上**　ベルリンの連邦議会議事堂は一八九四年、つまりカイゼル（ドイツ語で皇帝。カエサルに由来する）時代に作られました。その屋上へ、今の統一ドイツ政府が一九九九年にガラス張りのドームを置いたんです。わが国の国会はガラス張りで風通しが良いという比喩なのでしょう。

**磯田**　最近はガラス張りの建物が増えたように感じます。

**井上**　商品がガラスケースに入っていると、何となく値打ちがありそうに見えるし、裸で置いてあると安物のように見えます。だから、建物をガラスで囲むのは、値打ちがあるように見せたい願望の表われでしょう。ちなみに近年、ガラスの性能はかなり高まり、逆にコストは安くなっています。

**磯田**　そうすることで、なかにいる議員も価値があるように見えるわけですね（笑）。

**井上**　日本の今の首相官邸も、同じかな。シンデレラがガラスの靴を履くのも、ロシアの革命家ウラジーミル・レーニンがガラスの柩（ひつぎ）に入ったのも、そういうことでしょう。

## なぜ同じ過ちが繰り返されるのか

**井上**　作家の佐藤賢一さんと語り合った『世界史のミカタ』（祥伝社新書）でも述べたのですが、繰り返します。ペルシア帝国のダレイオス大王（ダレイオス一世）にとって、対ギリシア戦争は刺身のツマみたいなものでした。最大の敵は、北方の遊牧民スキタイだったのです。紀元前六世紀、ペルシア軍がスキタイ領に攻め込むと、スキタイ軍は後方へ退きます。その後退に誘われ、ペルシア軍は前進し、自分たちの兵站線を伸ばしてしまいます。それが伸び切ったところで、スキタイ側は一気に反撃へ転じて殲滅しました。

紀元前三世紀、漢の劉邦は北方の遊牧民・匈奴に攻め込みます。すると匈奴は後方に退き、漢軍の兵站線が伸び切ったところで包囲して叩き、大勝利を得ます（白登山の戦い）。以降、漢は匈奴に貢物を捧げなければならなくなるのです。

一八一二年六月、フランスのナポレオンはロシアに侵攻。破竹の勢いでモスクワに入るものの、ロシア軍の焦土作戦により食物の入手に失敗。やがて到来した冬将軍に耐えきれなくなり、兵站線が伸び切ったところでロシアのミハイル・クトゥーゾフ将軍に叩かれ、敗北しました。一二月に退却するのですが、ナポレオンの転落はここから始まります。

一九四一年六月、ナチス・ドイツのヒトラーは、ソ連に侵攻するバルバロッサ作戦を発動。「六週間で終結する」と豪語しました。一〇月にはモスクワ攻防戦が始まります。例年より早く訪れた冬将軍で、補給は滞るようになりました。一二月には膠着状態を迎えます。以降、東部戦線ではソ連軍が優位になり、ナチス・ドイツ崩壊へと至りました。

このように、中央アジアでは戦う相手の兵站線を伸ばせるだけ伸ばして、伸び切ったところで一気に叩く戦法が、二〇〇〇年以上にわたって繰り返されてきました。これは、歴史が繰り返されるパターンのひとつではないかと思うのですが、どうですか。

**磯田**　地上戦においては、相手の兵站線を伸ばすために行なう偽装撤退を考慮しなければなりません。軍事用語で言う「縦深性」です。特に、広大な領地を持つ大陸国家と戦う時はそうです。とりわけ、乾燥地・寒冷地の民は、土地にこだわりなく退く傾向があります。ダレイオス大王はギリシアを相手に、ナポレオンとヒトラーはロシア・ソ連を相手に、深入りしすぎたため、敗北を喫しました。

日露戦争（一九〇四～一九〇五年）の時、同じ事態に直面した明治国家の首脳たちは、戦線が伸び切って不利になる前に講和を結ばなければいけないことがわかっていました。日本軍は、中世のモンゴル軍ではありません。日本の力では、ロシアの首都サンクトペテルブルクはもちろん、シベリアにすら行けない。つまり「弱者の自覚」があったからこそ、奉天で止められたのです。

いっぽう、日中戦争（一九三七〜一九四五年）の時には、この弱者の自覚はありませんでしたし、兵站線を重視する考えが薄くなっていました。日本軍が首都の南京に迫ると、蔣介石は首都を重慶に遷してしまう。日本軍は武漢三鎮（湖北省の武昌・漢口・漢陽。現・武漢市）を落としても、終戦の糸口は見えず、泥沼化しました。そして、中国戦線が解決していないのに英米と戦争を始め、国全体を崩壊させる最悪の結果を招いてしまったわけです。

ですから、戦争を始める際には終わり方を考えないといけません。ただ目の前の戦術的勝利を得ればよいという考えは、継戦能力の高い相手には通用しません。

**井上**　確かに、明治政府は日露戦争の終わりどころを冷静に見きわめ、作戦を考えています。しかし、そこに歴史から学んだ判断はなかったような気がします。当時の参謀本部が、ナポレオンならともかく、スキタイや匈奴の戦いを真剣に検討していたとはとても思えません。組織のなかにそのような知識があれば、たとえ世代が替わっても継承され、日中戦争における愚かなふるまいには至らなかったでしょう。

**磯田**　ナポレオンはロシアだけでなく、ドーバー海峡を隔(へだ)てたイギリスを屈服させることができませんでした。ヒトラーも同様です。その意味では、歴史は繰り返されると言っていいかもしれません。彼らには「弱者の自覚」がなく、自ら二度目を「悲劇」にしてしまいました。明治の軍人は世界史好きも多く、終戦時の首相である鈴木貫太郎は日露戦争では駆逐隊司令ですが、読書家で、インカ帝国の話を最新研究でレクチャーしてみせたそうです。江戸生まれ、明治育ちの教養豊かな人物を連れてこないと、日本は戦争をやめられなかったのです。

## 感染症の歴史

**磯田**　感染症の歴史も繰り返されています。一九一八年から一九一九年にかけて大流行したスペイン風邪（インフルエンザ）は全世界で六億人が感染し、死者は四〇〇〇万人とも、一億人とも言われています。この時、流行の第一波は一九一八年三月に、第二波が八月に、第三波が一九一九年一月に到来しました。当時も学校閉鎖や大規模集会の禁止などの行動制限をしましたが、解除が早すぎたために第二波が襲い、国によっては最大の死者を出しています。

ですから、私は今回の新型コロナウイルスのパンデミックにおいて、「こういうパンデミックは思ったより長く暴れる」「感染拡大は波状的に来る」「政治家は接触制限の解除を早めがちで失敗した例がある」と、歴史的見地から繰り返し警告してきましたが、まずいタイミングで「Go To トラベル」や「Go To Eat」が実施されたり、変異種の襲来がわかっていたのに、接触制限を逸早く解除して失敗した自治体もありました。

**井上**　今回のコロナ禍では、十四世紀のヨーロッパにおけるペストの大流行や二十世紀に襲ったスペイン風邪の世界的流行と重ねて見る文章も、いくつか読みました。その意味で、歴史から学ぶ姿勢が論壇にはあったと思います。ただ、行政当局はどうかな。

イタリアには丘や山の上部に街があり、「山上都市」「山岳都市」と言われています。これらはペストなど感染症を避けるためにできたとされていますが、実際にどれくらい有効であったかを私は知りません。十四世紀のペスト大流行は当時のヨーロッパ人口の三分の一が失われ、「黒死病」と恐れられましたが、今回のロックダウンみたいな国境閉鎖はあったのでしょうか。

**磯田**　当時はまだ「国民国家」（十八〜十九世紀にヨーロッパで成立した、国民的同一性を基礎とする近代的中央集権国家）」が成立していない時代で、国境も曖昧でしたから、国家単位の国境閉鎖はなかったと思います。

ただ、前近代の日本でも、ムラの入口にはさまざまな「塞の神」が祀られています。疫病などがムラに入らぬよう、塞ぐ神を祀り、ムラにツミ・ケガレ・ヤマイが入らぬよう結界を張ったのです。

## 幻想としての国民国家

**磯田**　今回、コロナ禍をきっかけに反グローバリズムが高まると言われました。しかし、反グローバリズムの動きは以前からありました。一九九九年、アメリカのシアトルで開催された世界貿易機関（ＷＴＯ）の閣僚会議で、反対運動が起きたあたりからです。その後、欧米で移民反対運動も広がりました。

国際協調より一国主義が目立ってきた背景には、国民間の格差が広がり、その不満がネットで拡散される状況になったことが挙げられます。特にＳＮＳは、個人の直感的・感情的なものがそのまま外に表出されます。そして、不満を感じた人々が本能的にしがみついたのが、国民国家だったわけです。

興味深いのは、グローバリズムの舞台である地球は現物でリアル（実体）であるのに対し、国民国家は形がなく、イリュージョン（幻想・幻影）である点です。国民国家は国境に壁を作ったり、軍隊を置いたり、パスポートを作ったり、空港に検疫所を設けたりして、はじめて実体を持つのです。動物たちには国民国家など理解できないでしょう。

このように、リアルなものよりイリュージョンを信じるのはホモ・サピエンスの脳の特徴であると、私は考えています。約二〇万～一〇万年前に誕生したホモ・サピエンスは、アフリカを出る頃には複雑な言語を持ち始めた。見えていないものを大事にし、それにもとづいて行動する習性を高めていったのです。

**井上**　現在の人類社会が持っているイリュージョンのなかで、もっとも浸透しているのが国民国家の枠組みだとしたら、そこへの回帰が求められたということでしょう。コロナ禍はそれをある程度後押ししたと思いますが、それだけで説明できる問題ではありません。

**磯田**　井上さんが『京都ぎらい』（朝日新書）で書かれた洛中洛外（らくちゅうらくがい）の世界も、ある種のイリュージョンですね。神話と言ってもいい。平安時代以来、京都の墓所である鳥辺野（とりべの）（現・京都府京都市東山区（ひがしやま））、そこに至る道筋にある六道珍皇寺（ろくどうちんのうじ）の本堂前あたりを「六道（ろくどう）の辻」と呼び、この世とあの世の境としてきました。

人間は、「あなたとは違う」「あなたとは一緒」と脳が勝手に境界線を引きたがります。その事実を見つめ、社会はどこに境を置こうとしているのか。人間の脳や社会を操っているイリュージョンは何か。それを冷徹に見るのも、重要な歴史のミカタです。

**井上**　世界中がグローバルにつながったことを大航海時代以降に設定する歴史観は、ある種のヨーロッパ・イデオロギーで支えられていると私は思います。それ以前から文化交流があったことを強調する意味でも、古墳時代中期の遺跡・宇津久志古墳群（京都府長岡京市）の宇津久志一号墳で出土した重層ガラス玉を取り上げたい。このガラス玉を分析したところ、ローマ帝国内で製造されたガラス製品と同成分であることがわかっています。古くから、おそらくは中央アジアの遊牧民や商人に担われたグローバルな交流があったと思います。

すみません、私の好みで、話をユーラシア大陸史に引っ張ってしまいました。とにかく、グローバル化の進む世界で、国民国家という幻想が、かえって膨らみだしています。

これを、どうとらえるか。

## カール・マルクスの限界点

磯田　吉本隆明さん（評論家、故人）は、著書のなかで次のように述べています。

国家は幻想の共同体だというかんがえを、わたしははじめにマルクスから知った。だがこのかんがえは西欧的思考にふかく根ざしていて、もっと源泉がたどれるかもしれない。この考えにはじめて接したときわたしは衝撃をうけた。（吉本隆明著『改訂新版共同幻想論』角川ソフィア文庫）

すでに十九世紀に、国民国家を幻想ととらえる思想は理論化されていました。マルクスは、社会を物質的な生産関係である「下部構造」と、政治・法律・宗教・哲学・政治体制・身分制度などの「上部構造」に分け、上部構造と下部構造が合わなくなった時に、その矛盾を解消する革命などの歴史の波（私が呼ぶ「カイロス時間」）が来ると考えました。矛盾を解消するために、変動する革命期が来る。革命期を経て、上部構造をなす新たな思想や制度や法律があとでできていくという考え方の提示です。

**井上**　下部構造がある段階へ達しているのに、上部構造がそこまで至っていない。つまり、上部構造と下部構造に大きなズレが生じることはある。そんな時にこそ歴史が変わるというマルクス主義史観は、プレートテクトニクス理論とよく似ています。

にもかかわらず、共産陣営（ソ連および東ヨーロッパ諸国）がプレートテクトニクス理論を長らく受け付けなかったのはおかしな話です。最大の理由は、プレートテクトニクス理論がメイド・イン・アメリカだったからでしょうか。日本の学界も左派が多かったため、正式に認めたのはけっして早くありませんでした。自然科学の世界にも、このような不合理はあるのです。

**磯田**　アメリカ発ゆえ、帝国主義的と嫌悪(けんお)されたのかもしれません。一般に、「唯物論(ゆいぶつろん)」では、下部構造が上部構造を規定すると理解されがちです。しかし、人間が考えたものが技術になるのだから、思想が技術を動かしている、さらにその技術が生産関係を変えるのですから、上部構造（思想）が下部構造（生産関係）を動かしている、と言えなくもない。ここに「史的唯物論」の論理矛盾があるとの指摘があります。

また、哲学者のカール・ポパーのように「疑似科学」として論理的に批判する意見もあります。すなわち「将来世界はこうなる（社会主義になる）」といった、検証不可能で予言的な、信じるか信じないかのレベルの理論は立証も反証も不可能であり「科学」と言えないのでは、というわけです。また、技術は人間が頭で考えたものだから、技術が歴史を動かす動力なら「史的唯心論」ではないか、と言いたげな反論も含まれます。もちろん、史的唯物論は上部構造から下部構造への「反作用」も含んだ、もっと大きな理論であるとの再反論もあるでしょう。

さらに、史的唯物論自体が神話や宗教の影響を受けているという話も聞きます。「唯物史観」では、五つの発展段階が明示されています。すなわち原始共同体→奴隷制→封建制→資本主義→社会主義と進み、終末に向かうとしました。ここには、人類は神による最後の審判を受けるというキリスト教的世界観・終末観の影響が見て取れるのではないかと、昔から言われています。歴史を直線の発展段階ととらえ、終末段階に至る、目的のある時間の流れと考えるミカタです。

いっぽう、教育・法律分野はもっとも遅れて変化が来るというマルクスの主張は、古今東西の歴史を見ていても首肯できます。私塾などプライベートな教育は変わるのが早いですが、国家が管理している教育制度は変わるのが遅い。

法律も同様です。たとえば、不妊治療や人工授精などの技術はどんどん進化し、子どもも誕生していますが、法律の整備はその後追いになりがちです。相続権などにも大きな影響を与えるにもかかわらず、先に法律が網（あみ）を用意して待っていることなどありません。もし精子が冷凍保存されて一五〇年後に子どもが生まれた場合、その子が「精子提供者の遺産が欲しい」と訴えるような法的問題をどこまで真剣に考えるか。少なくとも、技術ができたらすぐに議論が始まり、法体系が用意されることなんてないわけです。

**井上**　そうですね。法律は一度しくみができると、なかなか変えられないですね。私は自分の精子が一五〇年後に活躍するぐらいだったら、今活躍することを望みたいですけど（笑）。いや、失言でした。すみません。

## 人間ほど恐ろしいものはない

**磯田**　一九六一年、世界初の有人宇宙飛行を成し遂げたユーリイ・ガガーリンは「地球は青かった」と述べました。ボストーク一号からは、東西対立の「鉄のカーテン」は見えなかったでしょう。ジョン・レノンは、一九七一年発表の「イマジン」のなかで「想像してごらん。国家なんて存在しないと」と歌いました。リアルな地球には国境はなく、国民国家は人間が脳内に作ったものですから、ジョン・レノンからすれば疑問の対象でしかないのでしょう。

私たちは、そのイリュージョンに価値や行動の基準を置いています。だから、そのことを常に意識すべきです。そうでなければ、イリュージョンは知らず知らずのうちに拡大、もしくは縮小しているかもしれず、リアルと乖離(かいり)してしまう恐れがあります。

歴史を見る時、とかく、国家や組織など集団の分析はやっかいです。国民国家のみならず、すべての集団や組織にはリアルとイリュージョンがあると、引いた構えで見なくてはいけないと思います。私がよく使う言葉に「知性の浅知恵、本能の土壺(どつぼ)」があります。知性ほど怪(あや)しいものはなく、感情や本能ほど恐ろしいものもない。コロナ禍以降、下手をすると、人類は本能の土壺に近づきかねません。

**井上** イリュージョンは身近にも存在します。その最たるものが「愛」です。「この人しかいない」という想いです。でも、どうしてこんな想いに、人はとらわれるのでしょう。たとえば、煙草の副流煙(ふくりゅうえん)は周囲に害を与えます。だから、人々は他人へ煙を吹きかけないようにします。でも、「君が出す煙なら俺は吸いたい」というのが、愛です(笑)。「君のウイルスなら移(うつ)されても本望だ」……。つまり愛は、時に反社会的な行動を起こさせるのです。反社会的だから、美しかったりもする。封建社会が恋愛を嫌った所以ですね。

**磯田**　江戸時代後期の歴史学者・頼山陽に師事していた女性詩人の江馬細香は、山陽に憧れていました。山陽は結核で亡くなるのですが、細香に結核の兆候が表われた時、「師匠の病状に似ている」などと綴っています。結核菌ですら、愛の対象になっているのです。ちなみに、細香は山陽の死後三〇年近く生きています。

**井上**　愛は、人間の抱える病です。話は飛ぶけれども、凶悪犯罪の判決文で、裁判官が「人にあるまじきふるまい」と形容することがあります。しかし、狸や狐はそんなことせえへん。するのは人間だけやないかと思うのです。凶悪性は人間的なのだ、と人間を見つめ直すことが、われわれの課題ではないでしょうか。それを非人間的という言葉で処理したら、人間の持つ暗い部分から目を背けることになります。

**磯田**　「人道主義」と言う場合、人間性を重んじることが正しいという前提がありますが、ユダヤ人虐殺のようなジェノサイドを犯してしまうのも人間であって、その危険性や特質を見つめる必要があります。

**井上**　ユダヤ人虐殺も、「ユダヤ人は怖い」というイリュージョンに煽られて起こりました。ナチスだけを非人間的だと言ってすませられることではありません。「人間にはこんな恐ろしい部分がある」「人間ってここまで残酷になれるのだ」と嚙み締めることが、私は大事だと思います。

**磯田**　古代ローマのカエサルはマケドニアのアレクサンドロスに憧れ、行動を起こしたわけですが、二〇〇〇年以上時代が違いますから、実際に会って影響を受けたわけではありません。これも、イリュージョンです。ですから、どんなイリュージョンに人は動かされているのかというのも、歴史分析のひとつの物差しになります。

イスラエルの指導者モーセは紀元前十三世紀、奴隷状態に置かれていたユダヤ人を率いてエジプトを出ました。いわゆる出エジプトです。これは革新的な出来事です。これから向かう、神との約束の地で自由になれる。その神話を共有できていたから、何の保証もないにもかかわらず、ユダヤ人はモーセに従ったわけです。そのいっぽうで、リアルでは、いまだにパレスチナ問題など解決できていません。

つまり、リアルではなくイリュージョンに依拠すると、革新や国家や科学も生まれるが、紛争も起きる。しょせん人間はそういう生きものだとわかることが、歴史を学ぶうえでもっとも大事なことなのかもしれません。

# 第三章

# 歴史の表と裏

## 秀吉が書いた、浮気の誓約書

**磯田** フジテレビ系列の番組「所JAPAN」に出演した際、豊臣秀吉が正室おね（北政所、のちの高台院）に書いた誓約書を解説したことがあります。そこには「足揉みを拵えて、そのうえ口答えしたら、一日一夜縛り申し候」と書かれていました。「足揉み」とは側室のことです。つまり、もし浮気をして、さらに口答えをしたら、一晩中柱に縛りつけられてもかまいません——というわけです。

「こんなおもしろい話があるのに、なぜ教科書に載っていないのか。なぜ大学の先生も話さないのか」と家族に聞かれました。私は「大学はお堅い勲章や学会賞がもらえるような研究を重んじるところで、かなりの人が官僚的でもある。彼らは秀才で、学界での出世に差し障るような下世話な咄はしたくない人も多い。秀吉が書いた浮気の誓約書など関心を持たないし、特に論文にも書かない」と笑って言いました。

つまり、史料をもとに、その事象がどのような歴史的意義があるかを問うことに収斂している。もちろん、それも大事なことですが、歴史学をつまらなくしている理由のひとつがここにあります。このことを一番よくわかっていたのが、日文研の初代所長の梅原猛さんであり、現所長の井上さんです。梅原さんは「歴史はおもしろいものです。歴史学者がおもしろくなくしている」とおっしゃっていました。〝おもしろくない〟歴史学に腹を立てられていたようです。

**井上**　今の歴史学は、多くの人たちが「へぇー」と思うようなことを「興味本位」として窘(たしな)めます。困ったものです。

**磯田**　歴史学がいつまでも、それだけをしていては、〝人間がいない〟〝人間不在の〟歴史学になってしまいます。

**井上**　だからこそ、この本では興味本位のことを取り上げていきたい。付け加えるなら「興味本位の何が悪いんや。興味をなくした歴史の何がおもろいんや」と言いたい。私が掲げる研究上の標語はただひとつ、「生涯一好事家(こうずか)」、これだけです。

**磯田**　興味を持つことは、とても大事なことです。さきほどの例も、なぜ人間の達人とも言うべき秀吉がこのような誓約書を正室に対して書いたのか――。このことに興味を持ち、考察することで「生きもの」としての人間の問題が見えてきます。

私が「秀吉はすごいな」と思うのは、この誓約書には正室が失ったものへの補償が含まれていることです。浮気をされた妻は、「私は夫にとって何だったの。価値はないの」というアイデンティティ・クライシスに陥りやすい。そのような妻に「あなたは夫を指揮・監督・処罰できる価値がある」と再定義し、再確認したのが秀吉の誓約書なのです。浮気について単に謝るのではなく、正室の絶対的価値を高める内容になっている。秀吉の人並みはずれた人心掌握術がわかります。〝いけない男〟ですが、これで天下を取ったのでしょう。

## 秀頼は秀吉の子どもではない⁉

**磯田**　豊臣秀吉は本能寺の変から三年後には、かつての主君を「信長」と呼び捨てにしています。近年、兵庫県たつの市で見つかった脇坂安治あての書状です。いっぽう前田利家は、ずっと信長のことを尊敬し続けました。前田利家の語りとされてきた史料『利家夜話』（村井勘十郎著）には、秀吉が信長に暴力を振るわれる夢を見てうなされていたことが書かれており、信長の家臣は相当なパワハラを受けていた可能性があります。

**井上**　秀吉は信長と呼び捨てにしながらも、最後まで信長と血がつながった女性たちに執着しました。なかでも、信長の妹で柴田勝家に嫁していたお市の方に深い思いを抱いていたようです。淀殿への偏愛も、その延長上にあったんでしょうね。

**磯田**　それは、コンプレックスの裏返しや征服欲ではないでしょうか。お市の方は、「秀吉は許せない」と思っていたかもしれません。秀吉は信長の命とはいえ、最初の夫・浅井長政を調略（外交謀略）と砦構築で追い詰め、夫の息子・万福丸（お市の方との子ではない）の串刺し処刑にもかかわりました。お市の方にすれば、清洲会議以後は、織田政権の簒奪者と映ったでしょう。そして、二番目の夫である柴田勝家を滅ぼされ、死を選んだ。

ですから私は、お市の方は娘たち、特に淀殿に「秀吉なんかやっつけてしまいなさい」と言い含めていたのではないかと、学問とは別次元で、想像するのです。そして淀殿は、秀吉とは別の種を宿して権力を奪い取ろうとした、少なくとも浮気をしたのではないか。

**井上**　すると、磯田さんも、秀頼を秀吉の種ではないと考えているわけですか。

**磯田**　今は秀吉の実子ではない説に傾いています。少なくとも、服部英雄さん（九州大学名誉教授）の「秀頼非実子説」は奇説ではないと考えています。

淀殿と周辺の侍女たちは、声聞師（呪術的な芸能に携わった陰陽師系の芸能者）と淫らなことを行なっており、それを秀吉が処分したことがあるのです。この事件で処刑された男の名前を、私は『兼見卿記』（吉田兼見著）で見つけました。その男が秀頼の父親とまでは言いませんが、粛清された犠牲者のなかで唯一、実名が載っている人物です。

　また、淀殿が秀頼を身ごもった頃、秀吉は朝鮮出兵のために肥前・名護屋城（現・佐賀県唐津市）にいました。私は、淀殿はこの時に名護屋にいなかったとの説を有力と見ています。

『信長公記』の著者として知られる太田牛一は、秀吉の側室の世話もしていました。彼の記録には、淀殿が大坂城から出航する秀吉を見送りに行ったところまでは記してありますが、肥前に行ったとは記していません。秀吉と肥前に行ったのは京極龍子（戦国大名・京極高次の妹）でしょう。戦国大名・佐竹義宣の家臣である平塚滝俊は、豊臣家の奥向きの内情など知りませんから、淀殿と誤認して名護屋に来ていると書状に書いた可能性が高い。また、秀吉に従って名護屋に来ていた京極高次の書状にある「大坂殿」を淀殿ととらえる説もありますが、「大坂殿」が名護屋にいたかを含め、どうでしょうか。

　このように、淀殿の行状や妊娠期間を考慮すれば、秀頼は秀吉の実子でない可能性を考えてみるのは、研究者としても自然なミカタです。

**井上**　秀頼が秀吉の実子でないとしたら、たぶん秀吉はうすうす知っていたでしょう。それでも、疑惑には目をつぶって跡継ぎにした。秀吉という人物を、浮気する側だけでなく浮気される側からもとらえることで、秀吉の凄味も見えてくるように思います。

## 家康は歴史を参考にしたか

**磯田**　徳川家康は、『吾妻鏡』（編者不詳）を愛読していたと言われます。鎌倉幕府の事績を記した歴史書です。実際、家康は江戸に入府後、本格的に『吾妻鏡』を収集しています。家康は、豊臣秀頼および豊臣氏を滅ぼしました。これは、平清盛が源頼朝を助命してしまい、平氏が源氏に滅ぼされた歴史から学んだのではないでしょうか。

いっぽうで家康は、石田三成の嫡男・重家など子どもたちの命を奪うようなことはしていません。三成の子孫であれば、反徳川の御輿にはならないと判断したのでしょう。また敵方の女系の子孫を生かして、滅亡の危険に晒された歴史事例はないので、秀頼の娘・天秀尼などを助けています。こういうところも、家康が歴史に学んでいるように感じます。

ただ、家康が『吾妻鏡』を収集した理由は、自分が頼朝以来の征夷大将軍の後継者であることをアピールすることが目的でした。むしろ家康が参考にしていたのは、唐の第二代皇帝・太宗が政治に関して述べた言葉をまとめた『貞観政要』でしょう。『貞観政要』

は、鎌倉幕府の第三代執権・北条泰時が愛読したり、明治天皇もご進講の際に興味を示したりするなど、帝王学の教科書として読まれることが多いようです。

**井上**　家康がいわゆる猪武者ではなく、書物に親しんでいたことは事実です。しかし、それらは家康が決断する際、比較的小さな部分しか占めていないと思います。私は、決断の際に、いつも歴史を参照している政治家なんて考えにくいです。

**磯田**　そうですね。政治家は歴史好きですが、難しい史料や歴史書を読む人は少ないものです。家康も政治的決断で主に使うのは同時代の生情報であり、歴史書ではありません。

昭和の政治家、特に旧制高校出身の政治家のなかには、『防長回天史』などを読んでいる人もいました。『防長回天史』は、長州藩主・毛利家の文書を中心に幕末から明治初期にかけての歴史を記した史料で、伊藤博文の娘婿で内務大臣などを歴任した末松謙澄が、井上馨の依頼を受けて編纂したものです。これを読むと、長州側から見た明治維新がよくわかります。

　惜しいと思うのは、大学受験であれだけ古典や歴史を勉強するのに、社会人で古典を読んでいる人をほとんど見かけないことです。

**井上**　必ずしも、みなが文学部に行くわけではありません。ほとんどの人は文学部以外の学部に進学しているので、無理もないでしょう。古典や歴史がいかにおもしろいか、そのおもしろさを伝えるのも、本書の役割ではないですか。私は、「大事だから覚えておけ」と言う教育より、「おもしろいから読んでみたら」という示唆（しさ）の側に立ちたい。

## 中曽根康弘の嘘

**磯田**　中曽根康弘（なかそねやすひろ）は回想録『自省録』（新潮文庫）を出版しています。首相や閣僚を務め、生前に大勲位菊花大綬章（だいくんいきっかだいじゅしょう）を受章した政治家です。『自省録』の題名は、ローマ皇帝マルクス・アウレリウス・アントニヌスの『自省録』を模したものです。刊行時に、「自省録でなく自慢録だ」との批評もあり、政治家に「自慢するな」と要求することをおもしろく感じた覚えがあります。

私は同書の聞き役として中曽根さんに一五回会い、インタビューをしていますが、「政治家は結果がすべてである」と繰り返し語っていたことが印象に残っています。「政治家は政策を実行して、結果を出す。その決断には、動機はまったく関係ない。たとえ動機が正しくても、国民をひどい目に遭（あ）わせたら、政治家としては0点だ。君たちはいいなあ。

生きている間に少々失敗しようが、後世に作品で評価される。われわれ政治家は、生きている間に結果を出さないと評価されない」というようなことを言っていました。

同書には「政治家は達成した現実だけが著作であり、作品なのです。（中略）政治家の人生は、その成し得た結果を歴史という法廷において裁かれることでのみ、評価されるのです」とあります。

**井上**　政治学者の瀧井一博さん（日文研副所長・教授）が、元警察庁長官で中曽根内閣の官房長官を務めた後藤田正晴にインタビューしたんです。その時、後藤田から「中曽根さんの記録には気をつけろ。彼は日記の内容を時々書き換えている」と注意されたそうです。歴史法廷の被告であると見得を切るいっぽう、史料の改竄に努めているのはなかなか味わい深いと思いませんか。

**磯田**　歴史法廷の被告と思っているからこそ、裁判の証拠を気にするのでしょう。たとえば徳川慶喜が典型ですが、歴史上の人物のなかには、自己イメージを保つために意図的な隠蔽・改竄を行なう人もいます。ただ、記録を残す人はまだいい。困るのは、記録しない人です。歴史家も歴史上の人物にずいぶんと騙されているように思います。「事実」とされる歴史は、そのようなあやふやなところで成り立っているのです。

**井上**　慶喜が政治の表舞台から去って静岡へ引っ込んだ時は、まだ三十代になったばかりでした。以後は余生になります。趣味に没頭したり、自己イメージを保ったりすることしか楽しみがなかったのでしょう。それ以外のあらゆることをあきらめたわけですから、同情の余地があります。とはいえ、そうなったのは自分が意気地（いくじ）なしだったことも原因ですが……。

話を戻します。一九七六年、アメリカ上院の公聴会で、ロッキード社が航空機売り込み工作のため、日本の要人に賄賂（わいろ）を贈ったことが明るみに出ます。いわゆるロッキード事件です。当時、日本は三木武夫（みきたけお）内閣で、中曽根は自民党の幹事長を務めていました。

三木は事件の糾明を訴え、それによって、政権の延命をはかろうとします。三木派が党内では少数派閥だったからです。そして三木は、アメリカ政府へ「ロッキード事件に関するアメリカ側資料を洗いざらい出してくれ」と頼みます。その交渉担当者として駐日アメリカ大使館に出向いたのが、中曽根です。

ところが二〇一〇年、公開されたアメリカ側の資料から、驚くべき内情が明らかになりました。ロッキード事件の資料を出すよう求めたはずの中曽根が、揉み消しを希望すると伝えていたことが明らかになったのです。これを受けて新聞記者が中曽根のところを訪れ、本人に質しました。中曽根は答えます。「私はあの時、自民党の幹事長だった。幹事長の仕事は党を守ることだ。だから、たとえ三木首相から情報公開請求があっても、軽々しく出さないでほしいと頼んだのだ」と。そして、述べ添えます。「でも、『揉み消す』ことを希望すると言った覚えはない」って。

でもね、公開された資料にはローマ字で「MOMIKESU」と書かれていたんですよ。隠蔽を要請した事実は認めるいっぽうで、そんな言葉は使っていないと言う。ここは、歴史学にとって重要なところだと思いませんか。まあ、アメリカの大使館員が、要するに日本語で言う「MOMIKESU」ことを中曽根さんは求めているんだなと判断し、彼らがそう書いたのかもしれませんが。

## 田中角栄の涙

**磯田**　一九八二年、中曽根は首相に就任します。中曽根も三木同様に少数派閥でしたから、党内最大派閥の木曜クラブを率いた田中角栄の助力を必要としました。当時、「田中曽根内閣」などと揶揄されています。中曽根内閣の終盤である一九八七年、ロッキード事件の裁判で田中側の控訴が棄却された際、田中は東京・赤坂の料亭で中曽根に泣きながら「助けてくれ」と言ったと、政治記者から聞いたことがあります。

私は『自省録』のインタビューで、それが事実かを確かめようと思いました。中曽根さんは、田中が「自分たちは当選同期ではないか」という思い出話に花を咲かせ、続いて情にほだすかのように迫ってきた件を教えてくれました。さらに踏み込んで聞くと、田中が涙ぐんでいたようだったとは言うのですが、「助けてくれ」と言ったかについてはお茶を濁しました。

この件以外の中曽根さんに都合の悪い事件なども、私が突っ込んで聞くと、「歴史法廷の被告として」とか言って、それを喜んでいるようでもありました。また、「(田中さんは急に体が悪くなったために機会を失ったが)あの人の世界観や宗教観をじっくり聞いてみたかった」とも話していました。彼は政治家の運動法則、つまりその人の欲望が奈辺にあり、どのような価値観を持って動いているかを見きわめることが、政局など政治判断には大切だと考えていたようです。

私は、この経験から、政治家のインタビューだけから歴史の真実に迫るのは非常に難しいことを実感しました。ただ、政治家の標榜する政治理念・思想は、インタビューで十分わかることも知りました。

**井上**　政治の修羅場にいる政治家や官僚には、揉み消したり隠蔽したりしていることがたくさんあるでしょう。だから、書店に歴史書が山積みされているのを見ても、感じるんじゃあないかな。「おそらく真実は書かれていないだろう。俺だって隠しているのだから」と。そんな彼らが、真摯に歴史から学ぶ気構えを持つとはとうてい思えない。

**磯田**　だから、表の歴史を信用せず、自分なりに裏を考えるのかもしれません。中曽根さんは『自省録』のインタビューで、日本の核武装の可能性について研究させたことを告白しています。本では、次のように掲載されています。

私が防衛庁長官をやっていた一九七〇年、いまから三十年以上も前のことですが、実は日本の核武装の可能性について研究させたことがあります。当時、伊藤博文の孫が防衛庁の技官としてこの問題について一番勉強しているというので、彼をチーフにして専門家を集め現実の必要を離れた試論として核武装をするとすれば、どれぐらいのお金がかかるか、どのぐらいの時間でできるかといった日本の能力試算の仮定問題を中心に内輪で研究させたのです。(中曽根康弘著『自省録』新潮文庫)

私は興味を抱き、これを確かめるために伊藤博文公墓前祭に行って、「防衛庁にいた伊藤博文の孫」を探しました。残念なことに本人は亡くなっていて、ご遺族に会えただけで、完全には裏が取れませんでした。その後に会った際、それを話したら、中曽根さんはニヤッと笑って「裏を取りに行かれましたね」と、私に言いました。

それが、中曽根康弘と会った最後です。歴史家に対して腹を全部見せることはないけれど、けっして軽視はしないというスタンスでした。古文書だけ見ていた私には、いい経験になりました。

## 表の史料には現われない真実

**磯田**　政治家で比較的不都合な「真実」を話すのは、不遇な人です。たとえば、明治・大正期に枢密顧問官を務めた三浦梧楼は長州藩士で奇兵隊出身ですが、長州閥の領袖である山県有朋と反りが合わず、不遇をかこちました。朝鮮公使時代に閔妃殺害事件を指揮したために、入獄もしています。そんな三浦に話を聞きに行くと、政治の裏話や真実を語ったそうです。
　私の経験でも、表街道で活躍している人より、不遇になった人の証言のほうが故意に作っていないことが多い印象があります。だから、後世に何を書かれるかを気にするような政治家は、出世できなかった同輩やライバルに真実をしゃべられないよう配慮すべきかもしれません。ちなみに、千利休が豊臣秀吉に切腹を命じられたのは、録音機の消去と同じ意味を持っていたと思います。

**井上**　私は、政治学者である御厨貴さん（東京大学名誉教授）の仕事、特に明治時代の都市計画や地方経営の研究を尊敬しています。御厨さんは研究のため、国立国会図書館の憲政資料室に通い詰め、政治家の書簡をノートへ網羅的に書き写したそうです。なぜ、そのようなことをしたか。
　それは、ある事案について調べたところ、表の公文書や審議会の議事録とは明らかに食い違う内容のやりとりを、政治家が交わし合っていることに気づいたからです。そうやって政治家の書簡を調べていくと、審議会における政治家の発言は審議会を動かすためのブラフでしかなく、本心ではなかったりしたことがわかった。つまり、表の史料では見えないことが、手紙から見えてきた。その裏も見据えたうえで、当時の政治過程を復元していったのです。

ところが、電話が普及して以降、具体的には大正時代くらいから、政治家同士の手紙が急激に減っていく。政治家の本音が記録に残らなくなり、表の書類や議事録だけで政治過程を復元しなければならなくなりました。そして、電話はさらにパーソナルな携帯電話となり、現在はまたメールという形で残るようになりましたが、その狭間(はざま)の時期の歴史を復元するために、御厨さんはオーラル・ヒストリーへ目を向けたと思うのです。

ただしオーラル・ヒストリーには、ナポレオンがラス・カーズに筆記させた『セント＝ヘレナ覚書』と同じで、相手が嘘をつく危険性もあります。

**磯田**　確かに、元の大臣や事務次官の前にテープレコーダーを置いてインタビューしても、真実を話してもらうのは難しいかもしれません。そうするとやはり、重要人物の発言を聞いていた人が不遇になったり、仲違(なかたが)いしたりして残した「実はあの時、こうしていた」という証言が貴重になります。

アメリカのウォーターゲート事件（リチャード・ニクソン大統領再選委員会による民主党本部への盗聴事件）では、情報源であるディープ・スロートはＦＢＩ副長官マーク・フェルトでした。フェルトはニクソンによって長官になることができず、ニクソンのＦＢＩへの介入にも不満を抱いていました。

**井上**　ただね、「あいつに裏切られた」「俺が出世できなかったのは、会社に見る目がないからや」と思っている人が語る「真実」も、その不遇さゆえに歪(ゆが)んでいる部分がないとは言い切れないでしょう。

**磯田**　もちろん、その通りです。不遇者の暴露に対し、成功者からすれば「だから、あいつは信用できない」「あの人の言うことに信憑性(しんぴょうせい)はない」という反論も来るでしょう。

歴史のミカタには、歴史書やその前提となった史料がどのような状況下で、どういう目的で作られたかを洞察する能力が求められます。それなしに史料や証言を鵜呑(うの)みにすることは、用法・用量もわからずに薬を飲んでいるのと同じです。逆に、歴史書をきちんと批判的に読めるようになれば、職場の資料や新聞、テレビなども客観的に見られるようになるでしょう。

**井上**　歴史には人間の闇も含まれているわけで、そこも踏まえて研究をする歴史学は「大人の学問」だと思います。

## 歴史の因果関係

**磯田**　世界の政治家、特に名を成したような人物は、『プルタルコス英雄伝（『プルタークス英雄伝』『対比列伝』とも）』などの歴史書をきちんと読んでいます。逆に言えば、その政治家がどの歴史書を読んだかを知れば、どのような歴史のミカタを持ち、行動したのかの参考になります。

『プルタルコス英雄伝』は、古代ローマの著述家プルタルコスが、ギリシア・ローマの英雄たちを対比させて論述したものです。いじめられっ子時代のナポレオンも、毛沢東（もうたくとう）も愛読しました。政治家以外でも、シェークスピアが影響を受けています。

**井上**　イギリスの首相ウィンストン・チャーチルは、十八世紀イギリスの歴史家エドワード・ギボンの『ローマ帝国衰亡史』を愛読し、本の余白に自分の意見や感想を書き込んでいました。

**磯田**　チャーチルが第二次世界大戦について記した回顧録『第二次世界大戦』（河出文庫）は、ノーベル文学賞を受賞しています。自伝『わが半生』（中公クラシックス）によれば、第七代マールバラ公爵の孫として誕生したチャーチルは、子どもの頃から歴史書を好み、たくさん読んでいたようです。また、一五〇〇体もの兵隊の人形を集めて遊んでいたというから、軍事オタクだったのでしょう。

私がチャーチルらしいと思うのが、次の、チャーチルと父親との会話です。一六四一年の大諫奏（イギリス議会がチャールズ一世の失政を諫めた抗議文のこと。これに対しチャールズ一世は議会を弾圧。清教徒革命に至り、処刑された）をめぐって、親子でこんな会話をしています。

> 父は諫言書のことをきいて、どういうふうに覚えているかと言った。私は結局、議会が王様に勝って、王様の首を刎ねたのですと答えた。（中略）が、父は「だめだ。これこそわが国憲の歴史全体の機構に影響する重大な議会問題なのであるが、お前はその問題の中心におかれながら、少しもそのなかに含まれた論点を味わえない」と言った。（W・チャーチル著、中村祐吉訳『わが半生』中公クラシックス）

チャーチルの父親ランドルフは大蔵大臣などを務めた、保守党の政治家です。彼からすれば、「議会の承認なき課税を行なうべきではない」など、大諫奏の四点二〇四条の論点を解説することを求めていたのでしょう。しかし、私はチャーチルのミカタのほうが優れていると思います。

歴史を見る時には、論点と要点があります。論点とは、どのような意見があったかという事実。端的に言えば、法律家が必要とするポイントです。いっぽう、要点とは、どのような因果関係で事が起きたかという骨組みを見ることです。

大諫奏なら、絶対王政を強化しようとしたチャールズ一世と議会が対立し、議会側が勝利して、のちにチャールズ一世が処刑されたという因果関係が要点なのです。このような因果律の理解、すなわち本質をとらえる能力こそ、チャーチルの真骨頂です。

因果関係を突き止めることはなかなか困難ですが、大物政治家や軍事的天才は、それが得意な人が多い。逆にこれが下手な人は、無関係な要素を結びつけたりして政策判断を誤ります。実は、大物政治家や名経営者をつくるのは、それほど難しくありません。結びつけてはいけない因果関係で物事をとらえなければ、かなりのことはコントロールできると思います。

世間一般に頭がいいとされている人も、しばしば原因と結果を逆に考えたりしている。昭和の戦争で言えば、戦争に勝利することが目的であるはずが、いつのまにか戦死することが目的になっていたりしました。

**井上**　自戒の念を込めて言うと、因果関係を妙なところに見つける人は罠に陥りやすい。たとえば、幾何学の証明問題で補助線が引けると、ナルシシズムがくすぐられます。普通の人は気づかないだろうけど、俺は読み解くことができた。この快感はけっこう大きくて、なかなか自惚れから抜けるのは難しいと思います。

**磯田**　たとえば、日本がだめになっているのは、若者の行儀作法ができていないからだとか、躾が悪いからだとか、明らかにまちがったところに因果関係を結ぶ人もいます。しかし、社会学の調査では、昔より今の子どものほうが躾も良い事実が明らかになっています。

**井上**　最近は、道で痰を吐いたり立小便をしたりする若者を見かけなくなりました。今の子どもたちは昔に比べ、はるかに行儀がいいと思います。実際、少年犯罪も減少傾向にあります。大人たちの側にも、「近頃の若い者はだらしなくなった」と言うことで、心を落ち着かせている面はあるのでしょう。

**磯田**　因果関係を取り違えた最悪のケースが、第一次世界大戦後にドイツの敗戦や没落をユダヤ人のせいにしたヒトラーらナチスとその支持者です。

　イギリスの歴史家E・H・カーの著書『歴史とは何か』（清水幾太郎訳、岩波新書）には、「歴史とは過去の諸事件を原因結果の整然たる連鎖として整理することである」とあります。因果関係だけだと、時には文化など非合理なものが排除されて無味乾燥なものになってしまいますが、歴史の一面として正しい因果関係の理解はとても重要です。ですから、歴史書の読み方や感想を聞けば、その人がどの程度まともな因果関係を追える人かがすぐにわかります。

　因果律の理解に長けていたチャーチルは、負の側面もありますが、戦争指導には向いていたと思います。

## 西園寺公望の傲慢さを見習う!?

**磯田**　日本の政治家では、公家出身で首相、枢密院議長などを歴任した「最後の元老」西園寺公望が歴史書好きで、チャーチルのように本の余白に感想や意見を書いています。たとえば、寛政の改革を実施した老中の松平定信には、その人格について手厳しい書き込みを入れていました。

**井上**　西園寺の秘書を務めた政治家の原田熊雄（はらだくまお）が記した『西園寺公と政局』は、昭和初期の政局をうかがい知る貴重な史料です。これを読むと、西園寺は当時起こった出来事を、しばしば歴史上の事象に擬（なぞら）えていますね。その事例は日本史だけでなく、西洋史や中国史にもおよんでおり、相当な教養を持っていたことがわかります。

**磯田**　西園寺は公家時代に培（つちか）った教養に加え、フランスに約一〇年間留学し、その間ソルボンヌ大学に学んだだけでなく、ジョルジュ・クレマンソー（のちのフランス首相）から留学仲間の中江兆民（なかえちょうみん）（のちにジャン・ジャック・ルソーの『社会契約論』を翻訳する思想家）まで幅広く交友していました。

西園寺は、明治天皇を「人をよく見ている」と評しています。そして、伊藤博文が「大変だ、大変だ」と言っても大変ではないケースが多いが、山県有朋は大変な時も「大丈夫だ」と言うので、山県が「大変だ」と口にしたら、本当に大変な時であり、明治天皇もそれをわかっていたというのです。

君主あるいは為政者には、報告を上げてくる臣下・配下がどのような人物かを見きわめる能力が求められます。つまり、報告の内容が良いか・悪いか、正しいか・まちがっているかだけではなく、報告者の人柄、思考・行動パターンを把握することも大切なのです。

西園寺は比較的、何が重要かの優先順位や因果関係を見きわめるのが得意だった人物です。常にトップの目で物事を見ていたのかもしれません。

**井上**　西園寺の人物評は、自分が歴史上の人物と対等ででもあるかのような視線によって支えられています。

**磯田**　西園寺は貧乏経験のある上級貴族（五摂家に次ぐ七清華家）出身だったこともあり、どんな権威・権力にも動じませんでした。彼が歴史や政治を語る時は、天皇すら批評の俎板の上で料理しています。

**井上**　天皇と距離が近い人にそのような感覚や意識が備わっていたことは、貴族院議長や首相を務めた公爵・近衛文麿のふるまいからもわかります。本当かどうかわかりませんが、近衛は天皇への奏上の際、椅子に座って足を組んだとも言われています。昭和天皇を神格化する幻想からもっとも遠いところにいられたのは、公家たちだったと思うのです。

**磯田**　西園寺にとって、松平定信は「定信程度」の存在なのです。位階も自分よりずっと下ですし（西園寺は生前に正二位、死後に従一位。松平は生前に従四位下、死後に正三位）、自由に批判している。そこが、老中つまり為政者だからといって持ち上げる世人とは違うところです。

ですから、歴史のミカタには、謙虚さと傲慢さの両方が必要です。謙虚さとは、史料を読み「これでわかった」と思わず、「常に誤まった判断をする可能性がある」という自戒の念を持ち、あらゆるものを疑うことです。いっぽう傲慢さとは、世俗の地位や評価をいったん脇に置いて、自由に思考し行動することです。歴史のなかに、偉人や権威者をひとりも置かないという態度です。

**井上** 謙虚さは必要ですね。でも、謙虚であればいいということでもない。

**磯田** 自信を持って断を下すという傲慢さも必要です。

**井上** 歴史を読み解いていると、「この時の秀吉、アホやな」「俺が慶喜だったら、戦うけどなあ」などと傲慢になれます。歴史の裁判官にすらなれる。これも歴史の楽しさです。しかし、まあ、自重もいたしましょう。

## 古代史ファンが陥りがちな落とし穴

**磯田** 自分の頭のなかで歴史を判断し始めると、傲慢さが強くなり、謙虚さが弱くなる傾向が生じます。歴史のミカタにおける傲慢さは、「史料の質×史料の量」という分母の上に、「判断」という分子が乗っていなければなりません。それなのに、良質な史料をたくさん読まずに、自己判断だけたくさん行なう。これでは、まぐれ当たりで正解に辿り着くことがあるかもしれないけれど、多くの場合、ひとりよがりに陥って誤りやすいのです。

たとえば、古代史は史料が少ない。在野の古代史ファンには優れた人もいますが、「俺の町に邪馬台国(やまたいこく)があった。まちがいない」という説を唱える方もいます。

**井上**　古代史ファンは大勢いますが、そういう情熱の過半数を邪馬台国が勝ち取っているという現象は、社会学的な分析対象にならないですか。

**磯田**　なると思います。邪馬台国・本能寺の変・坂本龍馬暗殺は、歴史学者があまり興味を持たないテーマです。明智光秀が本能寺の変を起こした動機を探っても、坂本龍馬の暗殺犯を特定しても、歴史の「結果」が変わるわけではないからです。いっぽう、それらのテーマには熱狂する歴史好きファンが少なくないため、明らかなミスマッチが存在します。

**井上**　新しい史料を見つけた時の磯田さんの嬉しそうな表情からは、研究者の純情が伝わってきます。でもね、研究者の仕事にだって、龍馬が好きだというような歴史ファンに支えられている部分もあるのではないでしょうか。

歴史学者はおたがいの論文を読み合うことで、職業が成り立ちます。しかし私は、プロの歴史家だけが読めばいいというような本を、書きたくない。歴史のおもしろさ、プロの嫌がるおもしろさも、多くの人と分かち合いたい。ですから、傲慢な読み方をしている読者へも、きちんと届くようにしたいわけです。まあ、印税に貪欲なせいかもしれませんが(笑)。

## 論文に書けないこと

**磯田** 井上さんが言いたいことはわかります。でも、秀吉の浮気の誓約書のように、教科書に掲載されていなくても、取り上げる価値があるものもあれば、妄想が行きすぎているものもあります。これらはきちんと区別すべきだと思うのです。たとえば、坂本龍馬は土佐藩出身で陸援隊隊長の中岡慎太郎とともに暗殺されましたが、彼らは抱き合い心中で死んだ、つまり男色だったという説を唱える人までいるのです。この説を支持する歴史学者はいないでしょう。

**井上** 男性同性愛を題材とした「ＢＬ（ボーイズラブ）」の読み物には、歴史上の人物を扱ったものもあると聞いたことがあります。

**磯田**　そういうテーマで想像力を膨らませるのは、文学などフィクションであれば文句はありません。むしろ、いろいろあっていい。ただ、裏づけがないのは、「願望」であって、「史実」ではありません。

**井上**　私は、ＮＨＫ ＢＳプレミアムの番組「英雄たちの選択」で嘉吉(かきつ)の変（乱）を取り上げた回に出演したことがあります。嘉吉の変は一四四一年、播磨(はりま)守護の赤松満祐(あかまつみつすけ)が第六代将軍の足利義教(よしのり)を自邸に招いて殺害したもので、その背景には義教による強圧政治があったとされています。しかし、私は別な見立ても持っています。番組では言いませんでしたが、赤松は顔が、体型も不細工(ぶさいく)で義教から嫌われ、ひどいあしらわれ方をした。それに対する鬱屈(うっくつ)した思いもあったのではないか。

龍馬と中岡の男色伝説に近いような指摘をしてしまったかもしれません。しかし、容貌の美醜が人の判断を左右することは、あると思います。今の歴史学では、興味本位のミカタだとされるでしょう。論文としては通らないですよね。でも、おかげで興味深い歴史は、葬(ほうむ)り去られていく。

**磯田**　藤原頼長(よりなが)（関白藤原忠実(ただざね)の次男で保元(ほうげん)の乱で敗死）や徳川家光（江戸幕府第三代将軍）

のように、史料的な根拠が明らかな人を除いて、男性間の性愛や情愛を根拠とした説を論文を書く研究者はほとんど見かけません。しかし動機の分析からすると、好悪(こうお)の感情が占める割合はけっして小さくないと思います。

**井上** 歴史を政治過程のゲームとして読み解くのは論文になるけれども、恋愛や性愛に言及した時点で論文でなくなってしまう。なぜ某は某に近づいたのか。これこれしかじかの点で、政治的な双六(すごろく)上の前進が期待できたからだ。そう書けば、論文になります。でも、好きだったからと書けば、学界は受け付けません。恋愛や友情には目をつぶり、打算なら検討する。そんな歴史学のあり方に、私はわだかまりを抱いています。

**磯田** その指摘は、重要です。証拠として、情愛は不採用、打算は即採用という、不当な歴史法廷を、アカデミズムの世界が開いているとの批判は当たっています。また、政略結婚をすると、歴史学は無批判に両者の関係が深まったとしがちです。かえって、仲が悪くなる場合だってあるのに。性愛・情愛に立ち入らない傾向が、歴史学にはあります。

**井上** 誰と誰は同性愛で結ばれていたという、ただそのことだけを喜んでいる歴史好きは苦々(にがにが)しく思いますが、さりとて、そのような部分からまったく目を背けるのもどうかと思います。

**磯田**　日本の刑事裁判の有罪率は九九パーセントを超えています。これは、警察官が犯罪者を摘発しても、公判を維持できない、つまり有罪にできないと検察官が考えた場合は起訴しないことが多く、また証拠を検察側が強く握る制度だからです。同じようなことが歴史学の世界にもあり、歴史学者側に、解釈技術による史料（証拠）の独占傾向があります。しかも、万人が異論を差し挟まないような完璧さを論文に求めます。特に因果関係に言及した場合、とらえ方に多様性が生じるので、卒論でも立証しにくい因果関係には触れさせない指導がなされているのが実情です。

私も学生時代、書きたい因果関係を書けませんでした。「専任ポストに就いてから書きなさい」と、親切に言ってくれた先生もいました。大学でも、独創的でおもしろい仮説を立てる研究者をどんどん採用したらいいと思います。私たち日文研ぐらいはそうしたい。いや、もうしてるか（笑）。

**井上**　私は若い頃、フランスの哲学者ルネ・デカルトが『方法序説』で述べた「われ思う、ゆえにわれあり」を訝(いぶか)しく思いました。なぜ、文語で書かれなければならないんだろう、と。口語だっていいじゃあないですか。でも、たとえば、論文で「わしは思う。そやしわしはおる」と関西弁で表記したら、学術雑誌は受け付けません。書かれたことがまちがっているから、撥(は)ねつけるわけではないんですよ。書き方が厳(おごそ)かじゃないから、拒絶するんです。判断のあり方は、パーティーなどのドレスコードと変わりません。そのジャケットはくだけすぎているからダメ、と言っているようなものです。建前(たてまえ)では、真理を追い求めているはずなんですけどね。真理だけをね。

**磯田**　自分も大学教員をしていた時、「論文執筆要領」なるものをこしらえて、「俗語は使うな」「『ていうか』は使うな」などと、学生たちにお堅い指導をしていました。学問としてのルールを守ることは大切ですが、自分や学生たちの想像力が「定型」にからめとられないように気をつけるべきですね。

## 正史の裏にある性愛

**井上**　歴史を読み解く際に、恋愛や性愛を排除できない例をもうひとつ挙げましょう。一六〇九年に起きた猪熊(いのくま)事件です。これは、侍従(じじゅう)の猪熊教利(のりとし)を中心に、公家と官女の密通が発覚したもので、激怒した後陽成天皇の意向に沿って江戸幕府は猪熊ら二人を死罪、一〇人を流罪にしました。幕府側はこの事件を機に一六一三年に公家衆法度(くげしゅうはっと)を、一六一五年には日本史上はじめて天皇の権限を制限する規定を含む禁中並公家諸法度を制定したというのが、一般的な解釈です。

しかし、それは上辺だけの説明にすぎません。後陽成天皇はまちがいなく『源氏物語』(紫式部著)を読んでいたはずです。『源氏物語』は不倫も乱交パーティーもウェルカムの世界で、それが王朝の魅力でもありました。

これは、本郷和人さん(東京大学史料編纂所教授)と語った『日本史のミカタ』(祥伝社新書)でも触れたのですが、新田義貞は後醍醐天皇から美人の女官を紹介されて、後醍醐一筋になりました。他の武士たちもそうです。多くの男が女官や女房を通して、朝廷にからめとられていった。そんな「おねえさん力」、武力ならぬ美人力を、朝廷は持っていたのです。この力を、朝廷自ら忘れてしまった。そのことが明らかになったのが、猪熊事件なのです。私は、画期的な事件だと思います。でも、学界では周辺的な逸話にしかなりません。

**磯田**　猪熊事件はスキャンダラスなので、学校でも教えにくいのでしょう。猪熊は絶世の美男子、今で言うイケメンだったそうですね。嫉妬もあったのですかね。しかし、『源氏物語』の光源氏のような男女関係は、江戸時代はじめ頃までの朝廷・公家社会では、普通にあったと見てよいでしょうか。

**井上**　光源氏だけではありません。周辺の公家たちもみな、揃いも揃ってスケベばかりですよ（笑）。言いすぎたかな。光源氏が天皇の溺愛した藤壺に手をつけ、生まれた子どもが光源氏そっくりだった。天皇も「君にそっくりだね」と言う。そこで、光源氏が抱く慄きを、紫式部は描いていく。そういう物語を、公家社会は読み継いできたのです。ヨーロッパの同時代に、『源氏物語』ほどデリケートな文学はありません。中国にもないでしょう。その意味では、日本の公家社会が生んだ特殊な文芸だと思います。

**磯田**　だとすると、中世では系図に載っている家族関係からはずれた「縁」が発覚しても、やんわりと曖昧なままにすませたということですか。

**井上**　系図では帳尻を合わすでしょう。穏便にすませたと思います。ヨーロッパでも、たとえばフランスのルイ十四世は、ルイ十三世の子じゃあなさそうです。ルイ十三世は女性に興味がなかったんじゃあないかな。でも、系図上はルイ十三世の長子となっています。ヨーロッパでも密通は、もちろんありました。でも、密通者の内面を、心の襞へ分け入って表わす文芸は、『源氏物語』のできた十一世紀初頭にありません。『源氏物語』は世界文芸を見渡しても、突出していると思います。

**磯田**　『源氏物語』の世界がフィクションではなさそう、実態に近かったかも、と教えてくれるのが、鎌倉時代の日記文学『とはずがたり』です。これは後深草院二条の回想という形式を取っていますが、作者は実在の人物で、源雅忠の娘とされています。彼女は一四歳で後深草上皇の寵愛を受けて宮廷に上がり、そこでの愛欲生活を赤裸々に綴っています。また、僧侶が隠れて性的な関係を持っていたケースなどが描かれており、越境する性的関係が存在していたことを立証する貴重な史料になっています。学者も「信憑性が高い史料」と言う人が多いですが、さて本当でしょうか。

**井上**　奈良朝の天智天皇と大海人皇子（のちの天武天皇）が額田王を奪い合ったケースもありますし、けっしてめずらしいことではありません。むしろ、その乱倫こそが朝廷の存在感を際立たせていたように思います。性的な放埒さが、朝廷を魅惑的に見せていたんじゃあないでしょうか。この問題は、公武の葛藤を考える際にも、侮れないと思います。

いずれにせよ、そういうセクシュアルな存在感をいつの頃からか朝廷は失った。そのことをはっきり示すのが、今述べた猪熊事件です。そして、セクシュアル・ウェポンをなくした朝廷は、幕府に頭が上がらなくなる。一八年後の一六二七年に起きた紫衣事件のことを、考えてみてください。これは、後水尾天皇が幕府の了解を得ずに大徳寺の沢庵宗彭ら僧侶に紫衣の着用を許可したため、幕府が禁中並公家諸法度にもとづいて許可を取り消し、沢庵らを流罪に処したものです。幕府の法律が天皇の勅許より優先されたわけです。ここには、「おねえさん力」で武士たちを手玉に取った朝廷の権謀術数も、存在感もまるで感じられません。

## 豊富な人生経験によるミカタ

**磯田**　数学であれば、小学生で「天才」と言われる人はいますが、小学生が『源氏物語』や朝廷と幕府の関係について優れた研究論文を発表したなどとは聞いたことがありません。やはり、歴史学は蓄積の学問なのです。

他方で、「人生経験は歴史研究に必要か」という問いも生じます。史料は客観的に読むべきですし、加えて人生経験があれば物事の裏を理解しやすいかもしれません。とはいえ、人生経験が豊富だから自動的に歴史がわかるというものでもない気がします。

**井上**　ただね、不倫を積み重ねた人と妻一筋の人では、『源氏物語』の読み解きが違うと思います。きまじめな人には、あの味わいが通じにくいんじゃあないでしょうか。だから、『源氏物語』や『とはずがたり』などの古典を理解するには、〝ちょこまか〞することが大事なのだと言えば……怒られるから、今は慎みます（笑）。

**磯田**　実は、小学生の頃に『源氏物語』を読んだことがあるのですが、よくわかりませんでした。逆にこの歳になってから読むと、人間の業のようなものを感じられて、味わい深い。やっぱり、子どもでは無理なのかなあ。でも、『義経記』（作者不詳）や『源平盛衰記』（同）など軍記物語は子どもでもある程度わかるし、『太閤記』や『東海道中膝栗毛』（十返舎一九著）も十分楽しめます。合戦記は勝敗、滑稽本は笑い、と目的がはっきりしているため、わかりやすい。いっぽう、『源氏物語』は一〇〇〇年も前のならわしや心情、さらに異性への感情の襞の理解が必要で、子どもにはハードルが高かった気がします。

歴史は、文字や遺物や絵画などからなる昔のあとかた、つまり史料から読み取って理解されますが、井上さんのお話からだんだん見えてきました。つまり、歴史像を読み取るには二つのものが要るのです。ひとつは、時代背景・歴史用語への知識、漢文や古文書読解力など、プロの研究者が積むスキルです。もうひとつは、人生経験で培われる人間感情の複雑さや社会でよく起きる嘘や隠し事のパターンの理解力です。この二つがあると、歴史のミカタが深くなります。

**井上**　若い時はわからないということも、歴史には多々あります。でも、読むことをすすめたい。齢（よわい）を重ねてわかった時、その快感には言葉で表わせないものがありますから。四十〜五十代の人なら、世の中には裏があることをイヤというほど思い知らされていますよね。大人になって培ったそんな思いを歴史へ向けると、教科書で習った歴史とは違う味わいが見えてきます。その意味でも、歴史は大人の娯楽やね。

**磯田**　歴史にはわからないこと、つまり裏や謎があり、歴史学者はそれを解明しようとします。わからないことを扱っている学問であることも、歴史学の魅力なんでしょうね。

# 第四章　日本史の特徴

## 日本史とヨーロッパ史は似ている

**井上**　これは私の持論であり、またよく言われもするんだけど、ユーラシア大陸の両端にある日本とヨーロッパは同じような歩み方をしている、すなわち日本史とヨーロッパ史は似ていると考えています。磯田さんはどう思われますか。

**磯田**　文化人類学者の梅棹忠夫さん（京都大学名誉教授、故人）は、著書『文明の生態史観』（中公文庫）のなかで、日本人および日本文明を形作っている要素として、地理的な特徴を挙げています。ひとつは「森林におおわれていた」、つまり森であること。もうひとつは「辺境国家」であることです。ユーラシア大陸中央部に古い文明発生地があり、ここが文字と宗教の卸問屋なのですが、ここから離れた島国（日本列島）や突端（ヨーロッパ半島）であることです。この点は決定的に重要だと思いますが、学校教育で論じられることが少ないようです。

生物が森林や島嶼という環境に置かれると、どのような変化が生じるかという考察・研究は、自然科学で行なわれています。もちろん、生物進化の問題をそのまま人間社会に適用するのは好ましいことではありませんが、人間も生物である以上、ある程度は似たような現象が起きると考えてもよいと思います。まず、半乾燥地帯の平野のような単一環境とは異なり、森は太陽光の届き方もさまざまで、湿潤(しつじゅん)でもあり、生物量も多くなります。このような環境では生物種に多様性が生じます。また周囲を海に囲まれた孤立島では、ガラパゴス島のように、しばしば特殊な進化が生じます。

また、オスのみに存在するY染色体について、日本人男性と中国人・モンゴル人男性を比べると、日本人のほうが多様性に富んでいたという報告があります。イギリスの遺伝学者ブライアン・サイクス（オックスフォード大学分子医学研究所遺伝学教授）は、このY染色体の歴史的な追跡研究をされており、『アダムの呪い』（大野晶子訳、ソニーマガジンズ）という本も上梓しています。私は、恩師の速水融(はやみあきら)さん（慶應義塾大学名誉教授、故人）に「おもしろいから」とすすめられて、読んだことがあります。

このY染色の違いは、中国大陸では、征服した王朝が前王朝を徹底的に破壊することから来ているものと思われます。大げさに言えば、モンゴル帝国を建国したチンギス・ハンやその祖父の遺伝子を持つ人が中央アジアには多くいる。ひるがえって、日本列島では、大陸での激烈な生存競争にさらされず、むしろそこから逃れてきた人たちの遺伝子が残っている。どうも、山岳部のチベットや離島部の日本は、中国の平野部やモンゴル高原とは、遺伝子の伝わり方が異なるようです。「日本は弱い男でも子孫を残せる社会だったのでは」と、冗談交じりに言う研究者もいます。

**井上** 日本がヨーロッパと似ている点として挙げられるのは、梅棹さんも指摘していますが、両者の定住性です。たとえば、トルコ人は中国の西側から小アジアまで移動していますし、ソグド人（ウズベキスタンのサマルカンド一帯を原住地とするイラン系民族）はユーラシア大陸を西から東に移動しています。ウイグル人もモンゴル人も、ユーラシアの端から端へと移動しています。このような移動性が、日本にはありません。

いっぽう、ヨーロッパでも四〜六世紀に起こった「ゲルマン人の大移動」以外、ほとんど移動はありません。いや、ヴァイキングは、もっとあとの時代になっても移動しましたね。でも、いずれはどこかに定住するわけです。中央アジアのように、移動を日常とするわけではありません。その点は、日本と通じ合う。

## 土地へのこだわり

**井上** 端的に言えば、移動をするのは遊牧民族（遊牧民）です。農耕民族ではありません。遊牧民はいつ・どこに・どのような草が生えているかという植物分布で、生活が左右されます。それを知らなければ生きていけませんし、そのために移動するわけです。だから、近代以前の遊牧社会には、土地を占有するというこだわりがあまりないのです。

ヤギや羊に食べさせる草の生える場所が季節によって変わり、そういう植生の推移を追いかけ、家畜を連れて移動する人たちですからね。日本の武士と違い、「ここは俺の土地だ。それを認めてくれ」という一所懸命の執着や情熱がないのです。そして「ここは自分たちの領地だ」というこだわりが少ないから、戦争でも第二章で紹介した退却戦術、つまり退けるところまで退こうというゆとりを持ちやすかったのです。

**磯田**　日本の戦国時代、敵に侵攻されても、人々はさっさと遠くに逃げるようなことはありませんでした。なぜなら、島国日本の人口密度は高く、その人口を養うため、田畑は水路を整えたり、傾斜地を棚田（たなだ）にしたりするなど、ものすごい労力・資力がかけられていたからです。日本の田畑は、工芸品あるいは建築物と言っていい。このように先祖代々、精魂込めて作ってきた農地を置いて逃げられない。土地に無意識の執着があるから、「城を枕に討ち死に」という発想になりやすいのかもしれません。

**井上**　日本史をヨーロッパ史に擬（なぞら）えるミカタについて、日本史の研究者はここ五〇年ぐらい、批判的に扱ってきたと思います。彼らは、同じ「封建制」でも日本とヨーロッパは異なると言います。日本とヨーロッパだけを見比べるから、たがいの差が気になるんですね。確かに、ヨーロッパの騎士と鎌倉武士を等しく扱うのは困りますが、類似性も全否定すべきではない。ソグド人やウイグル人から見れば、それは微差であり、似たような歴史に見えるはずです。

磯田さんが指摘したように、私たちは「森の民」ならではの歴史を歩んできた。まあ、「海の民」でもあったかな。そして、日本の歴史はいかほどか、ヨーロッパと同じような展開を経ているのです。中国もある程度はそうだとは思いますが、北方や西方に遊牧民を抱えていましたし、金・元・清などの遊牧民が建てた王朝も存在します。これは日本やヨーロッパにないことです。

中国では気候が変動した時、自分の土地を耕し直すのではなく、集落を挙げて移動することも多かった。そんな流民たちのボスが項羽・劉邦・関羽であり、彼らは大帝国を築くと、巨大な灌漑施設などを造営しました。農耕民であっても、定住はしきらない。森に囲まれている日本とは違い、大平原があちこちにある大陸国家なんですね。

## 分散性と統合性

**井上**　日本の歴史は、ヨーロッパ史と似ています。それでも、日本はユーラシアの東端らしい歴史を持っていると、もういっぽうでは思いますね。東洋か、西洋かという区分けの、東洋的なところが、表面にないわけじゃあありません。梅棹忠夫さんは、日本をクジラに擬えていましたね。表面は東洋、魚に見えるけど、中身は西欧、哺乳類だって。

**磯田**　ヨーロッパと日本の類似・相似については、定住性・生業・地域のまとまりなどから、ここできちんと述べたほうがよさそうですね。

『無縁・公界・楽』（平凡社ライブラリー）などの著作で知られる歴史学者の網野善彦さん（元・神奈川大学特任教授、故人）は、それまでのステレオタイプの日本史を壊すとして、いくつかの興味深い指摘をしています。第一に、日本は言われるほど定住性が高くないという指摘です。この点については、時期による違い――それが縄文時代なのか、室町時代なのかなど――を明確にしたうえで、検証しなければなりません。時代によって定住的であったり、非定住的であったりしたからです。

第二に、水田農耕以外のものも大きかったという指摘です。確かに、なかなか日本史学は水田農耕以外のものに着目してこなかったことは事実ですが、中世以前においても、弥生中・後期以後は、カロリー摂取量や付加価値生産でコメの占めた割合は高いのです。少なくとも、中・近世など前近代社会で日本全国を平均した場合、コメよりも大きな摂取カロリーを与える何かがあるとは論証できないと思います。

第三に、日本列島の多様性と相対性です。網野さんは、国民国家的「日本」概念の相対化について述べています。すなわち、明治以前の日本列島は「日本」というつながりが曖昧であり、地域性が強くて、「日本」という単位を人々が感じていない面を強調したのです。これは半分正しくて、半分まちがっていると思います。中世の日本地図のなかには竜のような生物に囲まれているものがあります。なにしろ島国ですから、今の国民国家とは違うものの、かっこつきの「日本」・ヤマト・オオヤシマ・六十余州といったまとまりは感じていたでしょう。

日本は大陸ではないうえに縄状に細長く、また平地が少なく森が多いため、農耕に必要な水域（河川の流域）に分かれて分散的になりやすいのです。この対極にあるのが、中国の巨大な皇帝権力です。井上さんが言われたように、巨大な灌漑施設は大きな権力がなければ作ることができません。これがヨーロッパの場合、ドイツは流域が分かれているため分散性が生じるけれども、フランスは平野部が広いうえに川の流路の影響で中央集権的になりやすいという特徴を持ちます。

**井上**　ライン川を船で下ると、川沿いに小さな城をいくつも見ることができます。それこそ、一所懸命で自分のテリトリーを大事にしていた小領主の点在していたことがよくわかります。フランスのロワール川も、そうかな。

**磯田**　日本は地形的に地域の分散性が高いいっぽうで、均質性を持ちやすい構造もあります。島国かつ面積が小さいので、特に沿岸部は海路・水路でつながり、基本的に混ざりやすいのです。人はともかく、モノは水上でよく動きました。

ここで考えるべきは、第一に、日本の本土が地質学的には北米プレートとユーラシアプレートがぶつかってできた、もともとは二つの別個の島（東北日本島と西南日本島）の合体島である点です。第二に、この島国は細長く、短い滝のような急流河川の流域ごとに、地域が寸断されており、細切れ（こまぎ）の河川流域（平野や盆地）をつなぐために、海の道が移動経路になっている点です。海が人間やモノの移動を隔（へだ）てるものではなく、つなぐものとして機能します。つまり、統合の方向に向かうわけです。

さらに、海上交通の技術も重要な要素です。前近代の船舶、つまり動力を使用しない船では、熊野灘沖・伊豆半島沖・房総沖・三陸沖など太平洋側では、いくつか困難な場所があります。季節によっては海難事故が多発するため、特に太平洋側では、人間の移動を隔てる作用のほうが大きくなります。これによって、東北日本と西南日本で大きな違いが生まれるわけです。

いっぽう日本海側は、冬は海が荒れ、東北日本と西南日本が隔てられますが、夏場は東北と西南がつながる。年中、もっともつながっているのは、波がおだやかな「環瀬戸内海」で、ここは言わば日本の地中海文明です。そのエリアは、九州の小倉・大分から山陽・四国北側、大阪・兵庫南部までを含みます。

さらに考えたいのが、日本を囲む二つの海、日本海と太平洋の違いです。日本海は玄界灘を渡って大陸とつながることができます。玄界灘はイギリスのドーバー海峡よりも広いけれど、太平洋はもっと広い。前近代の帆船で太平洋を渡り、東に向かうことはほぼ不可能でした。可能であれば、ハワイに日本人が住み着いていたでしょうし、国内で弾圧された一向宗がアメリカの先住民に伝わったかもしれません。

つまり、日本はさまざまなものが入ってくるけれども、それをどこかへ伝えることが難しい。言わば、沈殿池なのです。

## 太平洋の島々にある日本の痕跡

**井上**　磯田さんが指摘したように、日本はユーラシア大陸東端の沈殿池なので、日本列島からさらに東へは移動しないと思います。それでも、ミクロネシア（グアム・サイパン・パラオ・ナウルなど西太平洋の赤道以北の島々）やメラネシア（パプアニューギニア・フィジー・ニューカレドニア・バヌアツなど南西太平洋の赤道以南の島々）に行くと、伊勢神宮とよく似た建築物をけっこう見かけます。また、住民の多くは褌（ふんどし）を着けています。

どのような接点があるのかはわかりませんが、日本の風俗と似ています。日本列島は微（かす）かにではあっても、太平洋という大きな文化圏を抱えているのではないでしょうか。

また、ブラジルのアマゾン川流域で暮らす先住民のワイジャピ族は、男たちが赤褌を着けています。住居は高床式で、床へ上がる梯子（はしご）が伊勢神宮外宮（げくう）の御饌殿（みけでん）にそっくりです。いくら何でもアマゾンにまで日本人が辿り着いているとは思わないけれども、漢民族がいとなんだ黄河（こうが）文明とは違う文明圏を考えてみたくはなりました。そういうことをどこか念頭に置いておかないと、日本人自身が日本文化を見損なうような気持ちがしています。

イギリスのブリテン島が、アイスランドやグリーンランドと文化圏を共有しているかどうかは、私にわからないのだけれども、海洋文化圏の広がりを侮れないと思うのです。

**磯田**　マクロでは、太平洋エリアの文化圏があると思います。江戸時代の記録を見ると、数多くの船乗りたちが行方不明になっています。海難事故で死亡しただけでなく、なかには生存した状態で太平洋の島々に流れ着いたケースもあったでしょう。

実際、江戸時代に土佐藩の船乗り野村長平らは、当時無人島だった鳥島（現・東京都）に流れ着き、島で船を作って一三年後に帰還した例があります。これを記したのが、吉村昭の小説『漂流』（新潮文庫）です。しかし、彼らのように戻ってこられず、現地で生活した者もいたと思うのです。彼らは現地の人にモテたり大事にされたりして、私たちが認識していない文化伝達があったはずです。家族を作ったであろうことも容易に想像できます。

学問的にどの程度確かめられているかは知りませんが、江戸時代に日本人数十人がグアム島に漂着して子孫を残し、日本人らしき名前が残っていると主張する人もいます。

ですから、国土が海によって隔てられているため、陸地のように塊の文明として伝わらないけれども、太平洋に日本文明が散発的に撒かれた可能性は否定できないと思います。太平洋の島嶼部に残っている日本人の痕跡を探るために、遺伝子のサンプルを採れば、ある程度は追うことができるのではないでしょうか。

ちなみに、私の仕事部屋の本棚には、漂流民の記録が数多くあります。古書店で見つけたら、いつか日文研の図書館で公開してもらおうと、ためらわずに買っています。学界で未知のものはなかなか見つかりませんけど、とても興味深いです。

**井上**　それはなかなかいい、ご関心ですね。私は、ミクロネシアまで含めた文化圏の根っこを、黄河流域ではなく揚子江流域にあったと考えています。しかし南方の文化は、北方の黄河文明とともにあった漢民族に圧迫され、あちこちに飛び散った。それが、ベトナムやタイの山間部・インドネシア・ポリネシア・ミクロネシア・日本にも、移動した。だから、日本列島には、彼らと同じ文化を分かち合っているところがあると思います。

**磯田**　歴史学者の上田正昭さん（京都大学名誉教授、故人）は、「帰化人」でなく「渡来人」という表現を提起し、「私たち日本人は大陸の人たちにプラスイメージを持って国家形成をしてきた」という議論を起こしました。

いっぽう、中国のＧＤＰが日本を上回った頃から、対馬海峡と台湾海峡の間に線を引き、日本と大陸、海洋アジアと大陸アジアは違うという議論が受け入れられる素地が強くなったように感じます。アメリカの政治学者サミュエル・ハンチントンが著書『文明の衝突』（鈴木主税訳、集英社文庫）のなかで、日本文明を日本一国のみで成立する文明圏と述べたことも、この後押しになっています。

いずれにせよ、日本論や日本人論は宿命的に、大陸との近接と離反についての議論がともなうのです。

## 避暑地を作らない京都人

**井上**　アジアを生きた遊牧民の移動スケールは巨大で、季節に応じてそれこそ日本列島の北から南くらいまでの距離を超えて移動していました。

いっぽう、日本史にはそのような大移動の記録はありません。鎌倉時代までは関東平野ぐらいまで狩猟採集民がいたように思います。でも、平某（たいらのなにがし）や源某（みなもとのなにがし）などが定住して、領地（農地）を作っていきました。移動の民でもある狩猟採集民をどんどん北方に追いやったわけです。網野善彦さんが指摘したように、芸能の民・商人・信仰を広める人たちは日本中を移動していたと思いますが、圧倒的多数は定住民になっていったと私は考えています。まあ、網野善彦さんの言う、いわゆる「原無縁（げんむえん）」を、狩猟民は生きたかもしれませんが。

季節による移動に関しても、前近代に九州の人が「暑くなったから東北まで行こう」などと言うことは聞いたことがない。暑くなってもそこにとどまるのが、「一所懸命」の精神であろうと思います。このクソ暑い京都にとどまって祇園祭（ぎおんまつり）（261〜262ページで詳述）をしている町衆は、その典型ですね。

**磯田**　京都に来て五年以上経ちますが、京都には、東京にとっての軽井沢（かるいざわ）のような避暑地はないのですね。比叡山（ひえいざん）の裏あたりに町衆の別荘地があるに違いないと思って、多くの京都人に聞いても、答えが返ってきませんでした。

**井上**　京都人の洛中に対するこだわりの強さを思い知ってください（笑）。彼らは涼（りょう）を取りたい時には鴨川（かもがわ）の川床（かわゆか）で宴会をして、「納涼」と称しているのです。あんなもん、ちっとも涼（すず）しいことあらへん（笑）。遊牧民とは極北の生活スタイルです。私たちはやはり、定住民なのです。

考古学者の江上波夫（えがみなみお）さん（東京大学名誉教授、故人）が唱えた「騎馬民族征服王朝説（四〜五世紀頃、アジア北東部の騎馬民族が日本に到来して北部九州・畿内（きない）を征服し、ヤマト王権を樹立したとする説)」は、歴史ファンの心をとらえました。また、網野善彦さんが提唱する、移動するノマド(遊牧民)のような日本人論にも喝采が送られます。

かつての日本では、人口の八割ぐらいが農山村に定住していました。でも、とりわけ戦後になってからは、東京や大阪など大都市へ大勢の人たちが出てきたわけです。非定住的な日本人像は、そんな都市流入者から支持されたかもしれないと、私は考えていますが、磯田さんはどう思いますか。

**磯田** 特に都市の日本人の心のなかに、移動願望が潜(ひそ)んでいるのでしょう。定住民ゆえの、移動する民への憧れなのかもしれません。

二〇二〇年一〇月、東京大学大学院理学系研究科の研究チームが日本人約一万一〇〇〇人の全ゲノムSNP遺伝子型を調べ、「都道府県レベルでみた日本人の遺伝的集団構造」を明らかにしましたが、日本列島のなかでも、東(中部・関東・東北・北海道)、西(近畿・四国)、中国地方、九州は、それぞれ遺伝子レベルではあまりシャッフルされていない印象を持ちました。

日本は最近まで、いとこ結婚が地球上でも多い地域とされていました。庶民の通婚圏(配偶者を選ぶ際に許容される地理的・身分的範囲)が統計的に検証できる江戸時代は、基本的にほとんどが一〇キロメートルを超えませんから、遺伝子の検証結果と併せれば、日本人は移動性が低い「定住民」というミカタは大きくはずれていないと思います。

## 日本と中国・朝鮮は似ていない

**井上**　ここまでは、日本史とヨーロッパ史の類似性について話してきましたが、今度は異なる部分について考察したいと思います。

たとえば、江戸時代の侍(さむらい)は丁髷(ちょんまげ)をしていました。同時代に、大陸で、清朝の男たちは辮髪(べんぱつ)をしていました。江戸幕府は鎖国をしていたと、私は考えます。最近は、鎖国否定説が強くなっているそうですが、私は従いません。ただ、清・朝鮮・オランダとは国交がありましたから、たがいに情報は伝わっていました。でも、辮髪をまねる日本人はいなかったし、丁髷をまねる中国人もいませんでした。

ヨーロッパでは、イギリス人とオーストリア人が、辮髪と丁髷ほど違いのある髪型をしたことなどありません。たとえばウィーンで流行した髪形はすぐにロンドンに移り、パリの流行は汎(はん)ヨーロッパ的に広がってモスクワまで届きます。

一二七四・一二八一年の蒙古襲来で、モンゴル軍が持ってきた武器に、てつはう（鉄炮）があります。日本の武士たちは驚き、これに苦しめられましたが、それをまねることも入手することもしませんでした。そして一五四三年に火縄銃が伝来するまで、刀・槍・弓矢がスタンダードな武器となる戦争を、内戦ですけれども続けたのです。これも、ヨーロッパではありえないことです。どこかの国が新兵器を作り、効果的だとわかったら、すぐに他国で使われるようになります。イタリアでルネサンスが始まれば、すぐにヨーロッパ中へ広がります。

そもそも、人の名前がそうです。たとえば、英語のジョージは、フランス語でジョルジュ、ドイツ語でゲオルグ、イタリア語はジョルジョ、スペイン語ならホルと、発音が変わるだけです。根は、同じ名前になります。でもアジアだと、たとえば中国・朝鮮・日本では、人の名前が本質的に異なります。

日本と大陸の間には、深い溝がありました。ドーバー海峡と玄界灘の距離的な差を言っているのではありません。それ以上の、圧倒的な隔たりがあるように思います。

**磯田**　研究者はこれまで、日本は大陸とのつながりが深いという前提で考える傾向にありましたけれど、これからは、日本と大陸との類似点と相違点がいつ・どこで・どのように生じたかを明確に分けて論じなければならないかもしれません。

江戸時代の日本人が、中国人と同じ格好をする余地はあまりありません。日本で「士大夫之族」と中国風に言われたエリート層の学者や武士ですら（中国では宋代以降、官僚や知識階級を「士大夫」と呼んだ）、清を異民族の王朝として最初から馬鹿にしていました。明の文化には一定の敬意を払っていましたが、それでも明国風の格好をしてみたのは、学者・医者・琴の演奏家ぐらいでしょう。清の辮髪をまねる江戸人はまずいない。

**井上**　明の文物をありがたがって、部屋に飾るぐらいはしていました。狭い茶室のなかで、中国の古典に思いを馳せるような知識人もいたでしょう。明風の、たぶん黄檗宗経由で、煎茶がらみの室内調度も入っていたかな。でも、そのファッションをまねはしませんでした。大陸から何でも受け入れたわけではなく、受け入れられないもの、入ってこないものがあったのです。パリ・モードを取り入れたイギリスのようにはなりませんでした。

**磯田**　日本人がもっとも中国を受け入れたモードは、焼物でしょうかね。日本で作っても、中国の年号を入れたりしています。日本人は十二世紀頃から、宋の磁器に憧れていました。磁器の材料のカオリンは、熊本の天草や佐賀の皿山で調達できるにもかかわらず、磁器は中国から輸入するばかりでした。

国産化に成功したのは、有田焼の祖とされる李参平（りさんぺい）（金ヶ江三兵衛（かなえさんべえ））から始まるとすれば、十七世紀初頭になります。李参平は、豊臣秀吉の朝鮮出兵の際に朝鮮から連れてこられた陶工のひとりと言われています。最近の研究では、その数世代前から行なっていたとされていますが、それでも十六世紀ですから、約四〇〇年間、磁器を焼き上げる技術をまねできなかったわけです。

ですから、焼物モードへの憧れはあっても、日本と中国・朝鮮に、すべての技術に関して同時代性があるとはとても言えません。もちろん、日本の刀剣製作のように、中国にはなく、日本にだけある技術も存在します。

**井上**　中央アジアでは、歴史的な紙の製法が途絶えています。その復元を試みる際、日本の和紙が保ってきた技術をヒントにするそうです。つまり、中央アジア・中国・朝鮮・日本で共有されている技術がなかったわけではない。そのいっぽうで、磁器のようにまったく共有されなかった技術もあるわけです。

## 易姓革命がない国

**磯田**　中国には、「易姓革命」という政治思想が存在します。姓を易え命を革める——つまり、天子は天命により政治を行なうが、徳を失えば新たな有徳者が政治を行なうとして王朝交替を正当化する根拠となっています。唱えたのは、戦国時代の儒家・孟子です。

いっぽう、日本では有史以来、万世一系の皇統のもと、王朝交替は起こらなかったとされています。万世一系は戦前、多くの日本人が信じていましたが、現在の古代史研究者で、この言説を無批判に受け入れる人はむしろ少数派のように思います。万世一系が成立するには、①のちに天皇となる大王家がひとつしかない、②女王は原則的になし、③男系の大王が跡を継ぐ、④同時に二人以上の大王が存在しない、などの条件をクリアする必要があります。

また、越国（のちの越前・越中・越後、現・福井県・富山県・新潟県あたり）から迎えられた継体天皇など、血縁的に遠い継承もあります。文字の少ない古墳時代は、継承の実態がはっきりしません。近代日本の皇位継承のような万世一系ではなかった可能性もあります。

**井上**　継体天皇は応神天皇の五世孫、つまり五代遡ると天皇家に辿り着くとされますが、私は自分の五代前、高祖父をまったくイメージできません。当時は今よりも平均寿命が短かったですから、もっとイメージしにくかったでしょう。それに、五代遡ってもいいなら、平将門の新皇宣言だって許してあげてもええやないかと思います（将門は桓武天皇の六世孫で高見王の四世孫）。

**磯田**　そうですね。ただ、将門の場合は反乱と認定されていますから、なかなか〝大目に見る〟わけにはいかなかったでしょうけど。

歴史学者の水野祐さん（早稲田大学名誉教授、故人）らが唱えた三王朝、すなわち三輪王朝（崇神王朝）・河内王朝（仁徳王朝）・越前王朝（継体王朝）が本当にひとつの血統でつながるのかという問いがあるから、騎馬民族征服王朝説が出てくるのです。三輪王朝では、王権に女性がかなり関与していたことが考古学的にもうかがえます。なにしろ、大陸の王朝は『魏志』倭人伝などで、当時の「倭国」を「女王国」とも記すのですから。

また、大王はひとりということも前提のようになっていますが、中国側の文献の書きぶりからすると、実際には男女二人の王が同時に存在して昼夜で分担した可能性など、さまざまな想定がされないといけません。文化人類学的考察も必要でしょう。

## 日本人の同胞意識

**磯田**　司馬遷による中国最初の通史『史記』には、残虐な皆殺しの様子が出てきます。子どもの頃に読んだ時、「生きたまま穴に埋められて殺されるんだ」と怖くなったことを覚えています。中国では、易姓革命が起こるたびに前王朝、特に王家の宗族を滅ぼしてきました。

易姓革命がなかった日本では、それほどではありませんでした。「革命」ととらえることもできる明治維新の際も、流れた血は、ヨーロッパのそれとは桁違いに少ない。ただ、日本でも弥生時代には北部九州の各地、たとえば吉野ヶ里遺跡（佐賀県神崎郡から神埼市）では殺傷人骨が出土しています。また、青谷上寺地遺跡（鳥取県鳥取市）では、溝に埋められた一〇〇人以上の人骨が見つかっています。そのなかには殺傷痕が残っているものも多く、集団間の凄惨な戦いがあったことが、発掘調査から判明しています。

**井上**　同胞意識と言うか、同じ民族という自覚がまだ芽生えていなかったのでしょう。

**磯田**　日本人の同胞意識について、通婚圏で見てみるとおもしろいかもしれません。ヨーロッパ諸国はキリスト教という共通の土台があるので、王侯貴族たちは国境を越えて婚姻を結んでいます。朝鮮半島でも、高麗王朝（九一八〜一三九二年）の王妃は代々、モンゴル帝国から来ていました。

いっぽう、前近代の日本の朝廷や貴族が中国・朝鮮から妻や養子を迎えた事例を探したのですが、古代まで遡らないと見つかりませんでした。

**井上**　桓武天皇の生母・高野新笠は、百済から亡命してきた渡来系氏族ですね。ただ、日本に来て何代も経ており、朝鮮の王族から直接来たわけではない。のちに守護大名となる周防国（現・山口県東部）の大内氏も、百済王である聖王の子孫を自称しましたが、朝鮮の王室で育った姫君を嫁に迎えたわけではない。

一八八一年に来日したハワイのカラカウア国王は明治天皇に謁見した際、「王族同士で婚姻を結びませんか」と提案しました。具体的には、カイウラニ王女と山階宮定麿王（のちの東伏見宮依仁親王）の婚姻です。しかし、大日本帝国は丁重に断ります。もし受け入れていたら、六〇年後の真珠湾攻撃は必要なかったかもしれへん。

王室同士の婚姻関係には、戦争への抑止効果が期待できます。事実、オーストリアのハプスブルク家は、この手で争い事を避けるよう努めてきました。その配慮が、大日本帝国にはなかったと思います。

**磯田**　でも、近代になると、大日本帝国は、朝鮮李王朝最後の皇太子・李垠に梨本宮方子女王を嫁がせたり、清のラストエンペラー愛新覚羅溥儀の弟・溥傑に侯爵令嬢の嵯峨浩を嫁がせたりしています。

**井上**　まあ、そういう例もありましたね。でも、王侯貴族の通婚圏を見るかぎり、日本は閉じていると感じます。江戸幕府はベトナム・タイ・ミャンマーなどにあった日本町を切り捨て、そこで暮らしている日本人に対して「もう帰ってくるな」と言いました。そこには、内側へ閉じ籠もろうとする意志の強さを感じます。対して、チャイナタウンは世界各地にあります。

**磯田**　そのいっぽうで、江戸期の日本人も、山田長政（タイのアユタヤ日本町の長を経てリゴール太守となる）の活躍や、『国姓爺合戦』（近松門左衛門作の人形浄瑠璃）には拍手喝采を送っています。

日文研のフレデリック・クレインス教授の仕事で、平戸観光資料館（長崎県平戸市）に行ったことがあります。そこで、ジャガタラ文（鎖国令によって帰国を禁じられたり追放されたりした日本人や日系混血児がジャカルタから出した手紙）を見せてもらったところ、「日本の調味料を送ってくれ」などの要求が多かったたです。現地で日本食を食べていたことがわかります。つまり、当時の日本人は東南アジアに行っても、日本にいた時と同じような暮らしをしていた可能性が高いのです。

**井上**　でも、外へ出た彼らは、日本列島に戻ることを許されなかった。まるで、「あいつらは国を捨てた連中だ」と言わんばかりの冷たい仕打ちを受けている。そこには、単なる「内向き」「島国根性」といった言葉だけでは測れない何かが、横たわっているように思います。

## 日本の神話はパクリ⁉

**磯田**　ある時、私が知り合いに日本の神話について話した際、大陸など日本周辺の王朝伝承も並行して紹介しました。すると「似ている」「パクリ」などと言うのです。私は、日本の神話に近いものが大陸にもあるのは常識だと思っていたから、驚きました。でも、教科書に載っていないし、学校でも教えてもらったことはないと言う。しかたがないのかもしれません。

日本の神話は皇室を太陽神の子孫としたり（天照大神）、レガリア（それを持つことで正統な王・君主と認められる象徴となる物品）を受け継いだり（三種の神器）していますが、類似の神話は大陸の周辺王朝にも見られます。

**井上**　そうやね。とりわけ、草薙剣のように「聖なる剣」がレガリアになるという話は洋の東西を問わず、多くの民族にあります。

秦の始皇帝は、日本のことを蓬莱（東の海上にある仙人が住まう国）だと考え、不老不死の薬を手に入れようと、徐福を隊長にした探検隊を派遣しました。この蓬莱幻想は、太陽が東から昇ることとも支えになっていると思います。つまり、海の彼方に太陽の昇るところがあると考えたのではないかな。ところで、聖徳太子は、隋の煬帝にあてた国書で「日出ずる処の天子、書を日没する処の天子に致す、恙無きや」と記しました。聖徳太子および日本側は、中国側の蓬莱幻想を知っていて、あえてこの表現を使った。その可能性はないですか。

**磯田**　あると思います。中国の歴史書『魏略』の逸文（『翰苑』巻三十所収）には、倭人が周王朝の太王の長子・太伯の子孫を名乗ったことが記されています。この太伯の姓が「姫」であったことから、室町期の関白・一条兼良も「姫氏国」を日本国の別号としています（一条兼良著『日本書紀纂疏』）。

古代の日本は、中国に対して「周王朝は長子の太伯が王を継がずに、末弟の季歴が継いでいます。太伯が王になれなかったのは、東の国（日本）に行って、水害を逃れるため、（親不孝にも体に）入れ墨を入れてしまったからです」などと、中国の儒教の「孝」の論理を振り回して、日本の国家アイデンティティについて述べることもあったのでしょう。つまり、日本は忠孝の思想が保たれて易姓革命がなく、王朝が続いてきた。実は、私たちこそ正統であり、文明国ですよ、何せ周王朝の長男の子孫ですから、と中国側に言っているわけです。

江戸期になっても、林家（林羅山を祖とする儒学者の家系）では、皇室は「呉の太伯の子孫である」と言っていると信じられていました。これを徳川光圀が怒って、『大日本史』を編纂させたのだと、まことしやかに言われてもいます。また、羅山の息子の鵞峰などは、清王朝を「華夷変態」、つまり漢民族が異民族に支配されている状態としました。それに対して、日本は周王朝の伝統を受け継いだ儒教の国であると誇りました。

**井上**　唐の僧侶で、のちに唐招提寺を開き律宗の開祖となった鑑真は、日本への渡航に五回も失敗し、失明しながらも来日をはたします。その背景には、蓬莱の国を想う憧れがあったかもしれない。聖徳太子の伝説を知り、太子のことを名僧・慧思(えし)の生まれ変わりだと受け止めた可能性もあります。あの慧思が転生した蓬萊の国へ行ってみたい……と。また、目を悪くしたので、現実の日本を見て幻滅する不幸は、免(まぬか)れたかもしれませんが。

**磯田**　中国人は不老長生(ふろうちょうせい)が大好きですから、秦の時代の徐福にならって、東南の島へ船出したのでしょうか。

## 即位儀式の違い

**磯田**　易姓革命がなく、天皇を戴(いただ)く「日本国」が確立したのは、天智・天武・持統(じとう)天皇の時代です。即位の詔(みことのり)で参照される「不改常典(ふかいのじょうてん)（皇位継承について定めた法）」を定めたのは天智天皇です。また、天武天皇あたりで、それまで「大王」と呼ばれることが多かった呼称が「天皇」となりました。

雄略(ゆうりゃく)天皇の頃には土の壇上で即位していたのに対し、持統天皇は仏教思想を採り入れた高御座(たかみくら)を八角形に設計して、宇宙の中心であるかのようにしました。また、天皇が即位後に最初に行なう新嘗祭(にいなめさい)（その年に収穫した穀物を天皇が神に供(そな)えて食すること）を大嘗祭(だいじょうさい)

と言いますが、これを始めたのも持統天皇です。大嘗宮を建て、ご飯をお供えして一緒に食べることで天照大神ら皇祖皇宗と一体化する。そのようにして正統性を受け継ぐシステムが完成したのです。

このように、天智・天武・持統三代で宮中の儀式が固まり、権威化が格段に進んでいます。かつての素朴な姿を知る豪族たちは、面食らったと思います。

**井上** 真床追衾（天孫降臨の際にニニギノミコトを覆ったとされる衾をまとって臥したのち、立ち上がること）の儀礼などを行ないますよね。それが、代替わりの徴となって権威づけられるという説明も聞きます。現代人の私にはなかなか理解しにくいのですが、当時の人たちは「ははー」と平伏して納得したのだろうか。

ヨーロッパでは王が即位する際、「塗油の儀式」と言って、キリスト教の大司教に頭の上から油を塗ってもらいます。イギリス国王ならウェストミンスター寺院の大司教から、神聖ローマ帝国の皇帝ならケルン大聖堂の大司教もしくはローマ教皇から、フランス国王ならノートルダム大聖堂の大司教から油を塗ってもらいます。私たちは宗教心をなくしているので、この「偉い坊さんが油を塗ってくれはった」という感動を想像しにくいのです。これらヨーロッパの王権と異なり、自分たちで継承してきたのが日本の天皇家です。

**磯田**　そうなんです。琉球や朝鮮のように、ヨソの「中華」の皇帝からの冊封を受けず、ウチワの祖先の天照大神と寝食の儀式をしさえすれば、天皇は天皇になれます。

ただ、日本にも、天皇の即位の際に行なわれる「即位灌頂」があります。密教では、修行者が一定の地位に上がる時に香水（香料を混ぜた水）を頭に注ぐ「灌頂」という儀式があります。これは、インドで国王即位や立太子の際に頭に海水をかけた儀式を取り入れたものです。これを伝えたのが、中国で密教を学んだ空海（弘法大師）です。天皇が、天照大神と神仏習合思想でしばしば同一視される密教の教主・大日如来の印を結ぶことで、大日如来と一体化する。つまり、天皇の体を通して神仏習合がなされるわけです。五摂家のひとつ二条家の当主が、天皇に印の結び方と真言の唱え方を伝授しました。

即位灌頂は鎌倉時代に始まり、神仏習合からの脱却が意図された幕末以降、つまり明治天皇から行なわれていません。大嘗祭などを公でメインの儀式とすれば、即位灌頂はサブと言えるかもしれません。

**井上**　即位灌頂は、ヨーロッパで行なわれる塗油の儀式と似ています。いや、そもそもキリスト教の洗礼だって、そっくりやけどね。ドイツやフランスの領主たちはキリスト教（教会）の権威によって即位し、偉そうにふるまう。教会も領主たちの権力に寄りかかっていますから、持ちつ持たれつの関係です。「権門体制論（天皇の下に公家・武家・寺社があり、三者が相互補完関係にあったとする学説）」が成り立つのは、日本だけじゃあありません。ヨーロッパの中世も大なり小なり、そのような社会だったわけです。

いっぽう、中国にそのようなことはありません。モンゴル帝国の皇帝はマニ教の僧侶を大事にしたかもしれませんが、宋や明の皇帝が即位の際に、仏教などの宗教へ頼って自らを権威づけようとする姿は想像できません。即位灌頂も行なわれませんでした。これも日本史が中国史とは異なり、ヨーロッパ史と似ている点です。

## キャバ嬢を抱きしめる僧侶

**井上** 一度だけですが、京都・祇園の往来で、黒い袈裟を羽織った僧侶がミニスカートのキャバ嬢を抱きしめているところに遭遇したことがあります（笑）。他の国、いや日本でも京都以外の町ではありえへんね。

七世紀創建で国宝も所有する某寺の僧侶から聞いた話を紹介します。その方が東京・銀座のナイトクラブに袈裟姿で入ったら、ホステスや他のお客さんたちが一瞬で凍りつき、信じられないものを見たかのような表情を浮かべたそうです。その方は「しまった。ここは京都じゃなかった」と思ったそうです（笑）。京都なら袈裟姿でナイトクラブへ入ったって、誰も不思議に思わない。でも、銀座では背広にしておくべきだったと言うのです。

**磯田**　私も、京都のお茶屋さんで見てしまいました。さる名刹（めいさつ）の僧侶ですが、お酒が進んだのか、芸妓（げいこ）さんに膝枕（ひざまくら）をさせて寝転がっていました。「自分は人間の愚かさを見せているんだ」と言いながら、胸をはだけて。びっくりしました。そう言えば、最近思いあたるところで、異性関係で職を退いた人がお坊さんでした。もちろん、膝枕とは別の方です。

**井上**　仏教の開祖である釈迦（しゃか）（ブッダ）は、インドで生まれたシャカ族の王子でした。王宮にはハーレムがあり、王子も女性たちに囲まれた。彼女たちは、しばしば王子にしなだれかかってくる。やがて釈迦はうんざりして、人里離れたところで、ひとり瞑想（めいそう）に耽（ふけ）った。だから、仏教の根っこには女嫌いの情念があると思います。

だとすると、京都のお坊さんたちは考えたのかもしれない。単に瞑想するだけでは釈迦の苦悩がわからない。釈迦の苦悩を追体験するために自分たちもハーレムを味わおう。女性にうんざりするぐらい通い詰めた時、はじめて釈迦の境地に到れる、と。いや、擁護しすぎやね（笑）。

**磯田**　京都の文化・観光についての講演を頼まれた際、「現場を知らねば」と思い、おもしろがって一日だけ修学旅行生を案内するアルバイトをしたことがあります。あ、所長、きちんと日文研には兼業届を出してますから。日給の九〇〇〇円は、生徒さんに全部ごちそうしてしまいましたけど。彼らを祇園界隈の小路に連れて行った時、次のように話しました。

「京都には、拝観料や揮毫(きごう)料など大きな収入がある寺が多い。それらの寺のお坊さんはお小遣(こづか)いが潤沢で、祇園のお茶屋さんのお得意さんになっているお坊さんもいると言われています」

　すると、生徒たちは道徳的な疑問を感じたのか、嫌そうな顔をしたのです。私は「しめた！」と思い、すかさず言いました。

「本気で宗教を信仰しているところでは、テロや戦争も起こっています。銃弾が飛び交い、子どもたちが爆弾で死んでいる。そのような国と、お坊さんたちが女性のいる店に出入りするなど宗教の世俗化がきわまっている日本。比べて考えると、問題は複雑です。善悪ではありません。世の中の複雑さを理解するのも、歴史の勉強であり目的です」と。

**井上**　拝観料などで潤(うるお)っている寺を「肉山(にくざん)」、豊かでない寺を「骨山(こつざん)」と言い、後者が前者を妬み半分で非難することは、「骨肉の争い」とも言うのです。

京都・寺町通の古本屋街を通ると、仏教書を買い求める海外の留学生や仏教僧を見かけることがあります。日本仏教に憧れてヨーロッパなどから来ている修行僧は、祇園でキャバ嬢を抱いているお坊さんに、どんな気持ちを抱くのだろうか。私が謝ってもしかたないけれども、「ごめんなさいね」と言いたい気持ちになります。

**磯田**　「聖（宗教）」と「俗（王権）」の関係において、最初は「聖」が優位で、対立が深まるにつれて「俗」が優位となり、ついには「聖」を従えていく過程は、日本とヨーロッパで共通しています。しかし日本の場合、「俗」が「聖」を圧倒的に抑え込んでいきました。大量の火縄銃など武力を集中した俗界の権力＝織田信長・豊臣秀吉・徳川家康が、聖界の勢力＝本願寺・延暦寺を制圧したのです。「俗」に負けた日本の「聖」は、徳川体制と家制度を支える「葬式仏教」として生き残っていったとの厳しいミカタもあります。

その結果、宗教戦争のない国になり、井上さんが言うように、袈裟姿の僧侶が女性のサービスを受ける店に出入りする光景が見受けられるようになりました。しかし、ここまで俗化された「聖」は、世界でもあまりないように思います。

## 森に溶けた「規範」

**井上**　第三章でも触れた『とはずがたり』には、仁和寺(にんなじ)の管長(かんちょう)が後深草上皇の愛人だった二条を口説くシーンも出てきます。後深草院も、すぐ気づくんですよ。「あいつは俺の女を狙っているな」とわかりつつ、二条を仁和寺の僧にゆだねる。のちに二条との密通がばれると、管長は「後深草院様。申しわけないことをしました。あなたの女に手を出してしまいました」と謝ります。謝罪された後深草院は、有力寺院のトップを土下座させることで、自分にはアドバンテージができたと思うわけです。

管長も「やってはいけないことをしてしまった」という思いがなかったわけではないでしょうが、偉いお坊さんにとって女遊びはごく普通のことでしたし、そうでないお坊さんたちは美少年遊びに興じていました。

**磯田**　確かに、日本仏教の俗化は、天下人との戦いに負ける前からありました。『とはずがたり』に、父親が死ぬ前に娘への遺言として、お坊さんとの性交渉について「うまくやれよ」と言い残す場面が出てきます。ここには、「本音」と「建前」を分ける日本的な考えが見て取れます。

「建前」には、その集団が大事と考える共有の「規範」が前提となりますが、この「規範」について考えてみましょう。私はよく「溶ける」という表現を使いますが、日本人が脳内でこだわる「規範」は中国の周王朝で作られ、輸入された『周礼』（儒教）です。それが日本の森のなかに入るとだんだんと溶けて、日本化していった。

また、仏教はインドで成立して中国に移り、日本に入る間に溶けていき、先祖信仰と家制度を補助する道具になった。これがヨーロッパだと、中近東で作られた宗教（キリスト教）が、ヨーロッパの森に入ると、その地に合わせて変容した。つまり、「規範」は「空間」を経ていくうちに、溶けて別なものになっていく。ローカライズされるわけです。

たとえば、江戸期の武士では、婿養子の比率が二割五分、高いところだと三割にも達していました。いっぽう、江戸幕府が規範とした儒教は忠孝、すなわち主君への忠義と親への孝行を重視しました。儒教の規範に従えば、婿養子になる人は自分の男系の祖先に対して不孝となります。しかし、この婿養子が、日本では許されている。地元の実情や好みで規範が変えられている。中国から輸入した儒教（規範）が、日本的な解釈のもとで変容した（溶けた）と考えたほうが自然です。

**井上**　そうやね。日本の場合、武士も町人も、跡継ぎになれる息子を差し置いて、娘に婿養子を取らせたり、番頭を養子として迎えたりすることが少なくありませんでした。この話を中国人留学生に告げると、「理解できない」とよく言われます。養子に関しては、話し足りないところもあるので、次章で話しましょう。

## 女帝を卑しむ中国

**井上** 歴史学者の大山誠一さん（中部大学名誉教授）は、著書『〈聖徳太子〉の誕生』（吉川弘文館）のなかで、「聖徳太子は実在しない」と主張しました。その論拠となったのが、『隋書』倭国伝に推古天皇や聖徳太子の記述が掲載されていない点です。

でも、違うミカタもできます。推古天皇や聖徳太子は実在したけれども、ヤマト王権は、女性が王であることを卑しむ、あるいは未開国ととらえる中国に使節を送る際、女性天皇の存在を隠したのではないか。

**磯田** そう考えていいと思います。

**井上** 私は思いつきで言ったのだけれども、ありえない話ではないということですか。

**磯田** 『記紀』（『古事記』『日本書紀』）の記述が正しいとすると、推古天皇は実在しました。『魏志』倭人伝では、倭国を「女王国」としています。「女王」とは卑弥呼のことです。だから、中国側は日本に女王が存在する（した）ことは知っていた。

時代が下って、『隋書』倭国伝では、倭国王つまり大王（天皇）は、「阿毎多利思比狐」となっています。これはおそらく天孫降臨で、「天から降りてきた男」の意味でしょうが、推古天皇は女性ですから、本当は「あめたりしひめ」と言わなければならなかった。また、中国側に王の姓を問われると、天皇に名字はないので、「天」を意味する「あめ」などと答えています。あるいは、中国側が「あめ・たりしひこ」を勝手に分解して、「あめ」が姓なんだろうと思ったのかもしれません。中国側はこれに「阿毎」という漢字をあてています。

その時分の日本（ヤマト王権）は新羅と席次を争っていて、中国側に野蛮国と認定されないように努力していた。つまり、中国側の価値観に合わせたわけです。

**井上**　中国が女帝を卑しんでいることは、日本側も知っていたわけですか。

**磯田**　卑弥呼の時代から遣隋使に至るまで、中国に何度も使節を派遣していますから、当然知っていたでしょう。

**井上**　なるほど。中国が大国であり先進国であることを認識し、先進文物を取り入れようとした。また、文明国として認めてもらいたかった。さらに、中国が女帝を卑しんでいることも知っていた。にもかかわらず、日本は女帝を君臨させました。あるいは、中国側に嘘をついてでも、女帝を置かなければならなかった。これはどう解釈すべきでしょうか。

**磯田** 日本列島には古くから人が住み、価値観を作り上げていました。卑弥呼、その跡を継いだ壱与（いよ）（壹与）の存在からもわかるように、女帝を卑しいと考えない風土です。日本には、そのような「古い層」とも呼ぶべき、フランスの社会学者エマニュエル・トッドに言わせれば「原初的な」「アルカイックな」王制・習俗が残っていました。

ヨーロッパでは中近東から、日本では中国大陸から、「文明」で生まれた規範的慣習が入ります。しかし、海を渡り、日本という森に入るうちに、王は男でなければいけないという原則が溶け、日本土着の実態に即した規範に変形したと私は考えています。

前述のように、中国には『周礼』のような規範があり、その規範からの距離で文明か野蛮かを測っていました。ですから、日本の使節が中国に行った時、あるいは中国の使節が来た時だけでも、中国風を演じて、「文明国」に見せようとしたのでしょう。だとすると、推古天皇ではなく、聖徳太子を天皇に仕立て上げた可能性だってあります。

日本はその後も男系を基本にしていますが、東アジアでも突出して女帝が多い国です。

**井上**　フランスの国王はすべて男性です。でも、イギリスには女王がいます。そこに、民族や国家を貫く価値観の差があるのかな。

**磯田**　日本とイギリスは島国ですが、島国のほうが規範は溶けます。そのせいでしょうか、大陸国→半島国→島国の順に、女帝・女王が増えていきます。たとえば、中国は一人、朝鮮は新羅に三人、日本は八人十代です。

ただ、日本は女帝が多いですが、女性天皇はあくまで中継ぎでした。男系でつなぐために、男性天皇の成長を待つわけです。古代では、天皇は中年期に即位するケースが多く、江戸時代になっても、重要な仕事である歌会(うたかい)を主宰できる年齢ぐらいまで、東宮(とうぐう)（皇太子）のままでいました。だから、女性天皇が必要とされたのです。

前項で述べたように、日本社会は婿養子の比率が高く、男系も女系も夫婦養子もあり、血統にすら、絶対的にはこだわっていません。家名（家の名前）が続きさえすればよいという考えです。たったひとつの例外が天皇の皇統で、女性の中継ぎは入れるものの女系にはせず、男系で継承してきました。

## 歴史を動かす少女の力

**井上**　女帝を卑しんだ中国ですが、唐の時代に中国史上唯一の女帝・則天武后（武則天）が君臨しています。これは、どう考えたらいいですか。

**磯田**　あれは、歴史の攪乱なのでしょう。歴史には時々、その前後では考えられないことが起こることがあります。それだけ、則天武后の能力が高かったとも言えます。ただし、あくまで例外ですから、この一例をもって論じることは難しいように思います。

則天武后は皇帝を狙う過程で、夫で前皇帝の高宗を「天皇」、自分を「天后」にしました。そのあとに、天武・持統帝が、それまで「大王」だった日本のトップの称を「天皇」にします。つまり、則天武后が、日本の天皇号誕生の引き金を引いたというミカタもできなくはない。

**井上**　唐の正史を記したのは、『旧唐書』や『新唐書』です。女帝などあってはならないという前提があるため、則天武后の悪い部分だけを増幅しているような気がします。彼女の統治下で政治体制は整い、文化政策でも優れたところはあったのだけど。

いっぽう、日本だと女帝を立てる理由に、たとえば巫女と同じで、神聖さを求めてきたんだという説明を聞くことがあります。

**磯田**　宮崎駿作品の底流にあるのが、少女の力です。たとえば、『風の谷のナウシカ』（コミック・映画）では、「王蟲」と呼ばれる巨大生物が群れをなして暴走しているところを、主人公の少女ナウシカが体を張って止めます。日本では、これを多くの読者・視聴者が自然に受け入れています。つまり、神聖な少女には、人間はもちろん生物や自然をも突き動かす力がある――という集団幻想が前提にあるわけです。

**井上**　少女の霊力やね。

**磯田**　伊勢神宮には、天皇に代わって神に仕える未婚の皇女・斎王がいますし、琉球王国にも聞得大君（王女・王母）がいます。男性よりも女性のほうが霊力が強いのか、ノロ（祝女）が祭祀をつかさどりました。やはり、島国では女の霊力が王権の主要素に入っています。

**井上**　男性の国王しかいなかったと、さきほどフランスのことを位置づけました。でも十五世紀、百年戦争の際に、ジャンヌ・ダルクという英雄が出現しています。

彼女は一二歳の時に「イングランド軍を破り、王太子シャルル（のちのシャルル七世）を王位に就けよ」という神の声を聞き、陥落寸前だったオルレアンを解放したほか、いくつかの戦闘でフランスの勝利に貢献しました。彼女に作戦指導ができたとは思えません。神のお告げを聞いたと言う彼女の言葉に、おじさんたちが奮い立ったのでしょう。しかし、一九歳の時に宗教裁判で異端と宣告され、火刑に処されました。二十世紀になってローマ教皇の命で復権の裁判が行なわれ、無実と殉教が証明されて、聖人となりました。日本では、その聖なる少女ジャンヌ・ダルクにも通じる少女像が普遍化している……のかな。

**磯田**　日本の巫女的な少女は、ジャンヌ・ダルクのように武力を使いませんが、少女に神聖な力が宿ったという意味で、「ジャンヌ・ダルク化」と言っていいかもしれません。

**井上**　そうすると、欧米人へ日本のことを説明する際、ジャンヌ・ダルクがしばしば出る国……と言えるんかな。

**磯田**　しばしばどころか、現代のポップ・カルチャーにまで息づいている重要な要素です。その背景には、新たな生命を身ごもり、生み出すことへの原始的な畏怖があると思います。

## 処女懐胎伝説

**井上**　『新約聖書』に、イエス・キリストの母親マリアは男性と交わることなく、イエスを身ごもったと書かれています。いわゆる「処女懐胎（受胎）」です。

遡ること約三五〇年、アレクサンドロス大王の母親も処女でアレクサンドロスを産んだとされています。また、ローマ帝国の初代皇帝アウグストゥス（ガイウス・ユリウス・カエサル・オクタウィアヌス・アウグストゥス）の母親は大蛇と交わり、アウグストゥスを産んだと『ローマ皇帝伝』（ガイウス・スエトニウス・トランクィッルス著）にあります。さらに、チンギス・ハンの母親も太陽の光と交わり、チンギス・ハンを産んだことが『元朝秘史』に書いてあります。

このように、偉大な人物の母親は人間と交わって子をなしたのではないというストーリーが、歴史ではしばしば繰り返されています。

**磯田**　聖徳太子は、母親の穴穂部間人皇女の胎内に救世観音が入り、身ごもったという伝説が、平安期に成立した『聖徳太子伝暦』にあります。また豊臣秀吉は、母親の大政所は太陽が胎内に入る夢を見て懐妊したとして「日輪の子」を自称しました。

**井上**　『新約聖書』は、アレクサンドロスの逸話を意識したわけではないでしょう。おそらく、特定の文化圏に好まれるストーリーがあり、それが類似した形で、各地に現われたのだと思います。日本にも、神社の巫女に生娘を求めるような処女崇拝があります。実際、伊勢神宮の斎王は男子禁制という状態に置かれていました。

磯田さんはテレビ番組でやや否定的に語っていましたが、『聖徳太子伝暦』などには『新約聖書』の影響がおよんでいる可能性もある。私はそう考えています。中央アジアを行き来する商人たちの情報伝播力を、大きくとらえたいからです。大航海時代のずっと前から、彼らは商品のみならず、物語も運んでいたのだと。これは、私のロマンやね。証拠は出せないけど、その世界史に目を向けてほしい。

## 「若くて美人」を求めたヤマト王権

**井上**　日本の律令体制には、采女の制度がありました。采女は、国造・県主など各地のボスが朝廷に貢進した女性たちのことで、彼女たちは大王（天皇）の身の回りの世話をしました。六四六年の改新の詔には、租庸調とともに采女を貢ぐことが明記されています。「形容端正なるものを貢げ」とね。

七〇一年の大宝律令でも、郡司（国司の下で民政・裁判を行なう地方官）以上の姉妹あるいは娘で年齢一三歳以上三〇歳以下の者を容姿は厳選して送れ、と条件を指定しています。つまり、「別嬪を貢げ」と言っているわけです。事実上、王宮に容姿端麗な若い娘を集めている国は多かったでしょうが、ここまであからさまに法令で定めた国はないように思います。『グリム童話』の「シンデレラ」で王子様は、お触れを出して女性たちを宮殿に集め、舞踏会を開きました。でも、中世のヨーロッパに、法の条文で美人を集めろと書いた例はないいんじゃないかな。

もしかすると、とんでもない娘を送られてきた朝廷が、「もう勘弁してくれ」というわけで、面食い規定を入れたのかもしれない。あるいは、日本の律令が手本とした中国の律令にも、残っていないのでわかりませんが、「美人を貢げ」という規則があったのかもしれません。

**磯田**　采女の原初形態は、『魏志』倭人伝に卑弥呼が「婢千人を以て自ら侍せしむ」とあるように、国内の首長たちから娘を集めた制度にあると思います。八〇七年に采女の制度は廃止されるのですが、嵯峨天皇の時代になって復活します。その時に、容姿条項は変わらずに、年齢条件が一六歳から二〇歳に変更されています。律令国家は露骨に「若くて容姿の良い女性をよこせ」と言っているわけです。

**井上**　雄略天皇が采女たちを褌一枚にして相撲を取らせ楽しんだという話が、『日本書紀』に載っています。采女は家事だけでなく、北朝鮮の喜び組にあたるような役割もはたしていたようですが、だとすると、女性天皇の時に采女は何をしていたのかが気になります。

**磯田**　采女の制度が廃止された時、采女を管轄する采女司が縫殿寮に統合されたことを考えると、女性天皇の時は裁縫要員になったのではないでしょうか。

**井上**　嵯峨天皇は五〇人近い子どもをつくったくらいやから、采女にも手を出したやろね。和製ハーレムを作りたくて、制度を復活させたのかもしれない。

**磯田**　嵯峨天皇がもうけた皇子・皇女は多数におよんだため、生活費がかさみ、どんどん臣籍降下させました。そのひとつが嵯峨源氏で、そこからは摂津（現・大阪府北部と兵庫県南部）の渡辺氏、肥前（現・佐賀県と長崎県）の松浦氏、筑後（現・福岡県南部）の蒲池氏などが出ています。蒲池氏は、松田聖子さん（本名・蒲池法子）やZARDの坂井泉水さん（同・蒲池幸子）のきっと祖先でしょう。

**井上**　松田聖子も皇室につながっているかもしれない――。つまり、日本のほとんどの家系が天皇家の家系ツリーに入っているという幻想を共有できる。これも天皇制を支えているように思います。

**磯田**　そうでしょう。戦前によく言われた「国民は天皇陛下の赤子（せきし）」のバックボーンには、「うちも天皇とつながっているぞ意識」があったのでしょう。それが天皇制を支えてきたし、庶民に至るまで「うちは家柄がいい」と思う「天皇一家」の国民的一体感が、昭和ぐらいまでありました。

なぜ巷（ちまた）に天皇の子孫があふれるのか。天皇の子孫が源氏になって、地方に下るからです。賜姓（しせい）源氏は嵯峨源氏が最初ですが、その後も臣籍降下は続き、仁明（にんみょう）源氏、文徳（もんとく）源氏、清和（せいわ）源氏、宇多（うだ）源氏、村上（むらかみ）源氏などが生まれました。彼らが地方に下ると、そこに財やサービスを奉（たてまつ）るシステムができました。中世になると、百姓も天皇の子孫であるという「百姓王孫思想」が見受けられます。ただ、百姓王孫思想については近年、永井隆之（ながいたかゆき）さん（石川工業高等専門学校准教授）が『戦国時代の百姓思想』（東北大学出版会）で新解釈を提起しています。中世の庶民が、天皇と自分の関係性をどう考えていたのかは、大切な問題です。

## 天皇家の「血」にこだわった武士

**磯田**　法的制度を設けないと采女を集められなかったということは、日本の王権の弱さを意味しているのでしょうか。

**井上**　私は、王権の強さととらえています。娘が天皇のジュニアを産めば、地元に引き取り、自分の後継者とした郡司はいたでしょう。都にとどめおき、そのジュニアを拠り所として伸し上がろう――。そんな野心を持った郡司たちなら「どうぞ手をつけてください」と、娘をどんどん朝廷に送り込む。なかには、「見目麗しい」とは言い難い女性もいたかもしれない。それにうんざりした朝廷が、美人規定を設けて絞り込んだのではないか。いずれにせよ、郡司のほうでも、積極的に制度を利用したわけです。しぶしぶ貢いだ・貢がされたという話ではない。

**磯田**　郡司側、朝廷側双方にメリットがあったと思います。郡司は、かつてはクニの王クラスでした。国造などとして、その地を治めていた豪族で、巨大古墳を造営するなど強大な力を誇りました。しかし、律令制で中央集権体制が整うと、弱体化していきます。ですから、郡司には采女の制度を利用して天皇とつながり、あわよくば外戚になって〝一発逆転〟という狙いもあったでしょう。

いっぽう朝廷側も、各地で隠然たる力を持っている彼らの力は無視できません。彼らを支配・被支配の関係に置くには、采女の制度は都合がいい。郡司たちを〝ミスコンもどき〟で競わせ、彼女たちから父親や地元について聞き出すことができますから。郡司の忠誠や情報を、個別に掴むわけです。

ただ平安時代末期、上皇が院政を敷き「治天の君」として権力を持つようになると、「なお東宮の如し（皇太子のように実権がない）」と言われた天皇に娘を貢ぐよりも、院（治天）の近臣や、地元のボスになれそうな都落ちの貴種と婚姻を結んだほうがいいと旧郡司層は考え始めたと思います。旧郡司層など地元有力者はその頃、武力も蓄え、在地領主に成長していました。井上さんが言うところの「親分衆」ですね。

**井上**　天皇のジュニアが、みんな朝廷で官職に就けるわけではありません。王権から見放されたジュニアたちも、京都にはたくさんいた。サウジアラビアの王子なんかにもいるんでしょうね。そんな彼ら（平氏や源氏）を引き取り、トップに戴いて勢力を拡大しようとしたのが、関東の親分衆たちです。

彼らは、開発領地のボスとして、朝廷から自立しようとはしませんでした。わざわざ王家のボンボンを引き取り、「うちの祖先は――」と血筋の良さを競った。親分衆同士で、血統を張り合うわけです。その結果、源氏が関東平野へ群がるようになりました。この天皇とつながる血筋へのこだわりも、天皇幻想の根っこにあるように思います。

**磯田** 僻遠(へきえん)の地ほど、血筋にこだわるのです。その背景には、財やサービスを神聖な帝王の家に流すという行動パターンがあります。私たちは、そのような傾向を遺伝子プールに組み込んだ集団なのかもしれません。

## 世襲は弊害か

**磯田** 日本史あるいは日本社会の特徴として、専門と世襲へのこだわりの強さがあります。多くの人が、自分に与えられた狭い分野に誇りと職人意識を持って、深掘りします。そして、自分の担当外に口を挟むことを良しとせず、専門性を尊重するがゆえに、専門家に対して疑問を抱かない。これは両刃(もろは)の剣(つるぎ)で、問題も起こりやすい。

また、先輩や世襲している人など、長く組織にいる人の発言が重んじられます。たとえば、明治政府だったら、後任首相を選ぶ際には元老の意見を聞いています。この慣習は昭和一〇年代、西園寺公望まで続きました。
福沢諭吉の『福翁自伝』には、福沢がはじめてアメリカを訪ねた時のエピソードが記されています。

いまワシントンの子孫はどうなっているかと尋ねたところが、その人のいうに、ワシントンの子孫には女があるはずだ、今どうしているか知らないが、何でも誰かの内室になっているようすだといかにも冷淡な答で、何とも思っておらぬ。これは不思議だ。
（福沢諭吉著、土橋俊一校訂・校注『福翁自伝』講談社学術文庫）

日本では、江戸幕府を創設した徳川家康の子孫が代々政治をつかさどっているが、アメリカでは、初代大統領の子孫のことを誰も知らないことに驚いているわけです。

**井上**　確かに、当時のアメリカ人はワシントンの子孫に無関心でしたが、現代のアメリカ人はジョン・F・ケネディの子孫やブッシュ・ファミリーの動向を把握しています。ですから、ロイヤル・ファミリー幻想はアメリカにもあると思います。これは、国家に限りません。企業なども同様です。五〇年・一〇〇年と続けば、大なり小なり形成されていくと思います。

**磯田**　ホンダ（本田技研工業）の創業者である本田宗一郎は「会社は個人の持ち物ではない」と公言し、子どもを入社させませんでした。世襲を拒絶したのです。いっぽうトヨタ（トヨタ自動車）は、トヨタグループの源流である豊田自動織機の創業者・豊田佐吉（とよださきち）の親族が代々、社長を務めています。両社ともしっかりとした企業ですから、一概に世襲あるいは世襲経営者が悪いとは言えません。

ただ、世襲のオーナーはやろうと思えば、思い切ったことができます。逆に、世襲ではなく平社員から上がっていった社長が組織改革をしようとしたら大変です。この時、「黄門様の印籠」が必要になるわけです。時代劇「水戸黄門」は日本人に受け入れられていますが、世界的に見れば、特殊な部類に入ると思います。なぜなら、武器・強制力の圧倒的優勢がなくても、家柄を自慢する者が印籠を示すだけで、兵数に勝（まさ）る相手が土下座して抵抗を止めるのですから。冷静に考えれば、滑稽な話です。

幕末の薩摩藩で、実際に藩を動かしていたのは西郷隆盛や大久保利通らでしたが、下級武士である彼らが直接命令したら、藩士の多くは激怒したでしょう。だから、書類上は島津斉彬（なりあきら）や久光（ひさみつ）（や、その子）の命令とした。これは維新後も変わりません。自分たちが草案を起草していても、「これは天皇の命令です」と言いました。太平洋戦争時の赤紙（召集令状）も、実際は、各市町村役場の兵事係が作った名簿をもとに、連隊区司令部の動員課の担当者が発行していたでしょうが、国民は「天皇陛下のご命令」と認識しました。

つまり、世襲カリスマという「後ろ盾権威」を置けば、下が少々嫌がることでも強いることができるわけです。実際、改革を行なう時には世襲カリスマを壁紙に使います。この特質は、現在まで影響を与え続けています。それにしても、日本は、世襲が国際比較で見て多すぎます。特に政界がそうですが、社会が世襲だらけになったら、江戸時代と一緒です。それでうまくいけばいいのですが、どうも最近はそうではない。それでは、幕末テロから戊辰戦争、さらに士族反乱を入れれば当時の成人男性の二五〇人に一人、三万数千人を死なせてまで、明治維新をやった甲斐がないとも思うのです。

## 老舗が敬われる町

**井上**　後継者選びの際、「こいつなら時代の荒波を乗り切ってくれるだろう」と誰もが納得するような人材がいれば、その人にゆだねるでしょう。でも、みんな似たり寄ったりで、ドングリの背比べだったりしたら――。あるいは、派閥抗争やお家騒動で組織が分裂しそうな時なら、「ここは御曹司に出ていただこう」となりそうですね。

日本には、あらゆるところに世襲があります。たとえば、お茶をどうやって飲むかというお手本を示す役目は、千利休の頃から血がつながっていると言う人たちに受け継がれています。他にも、花の生け方・器の作り方・漆の塗り方など、十何代もの血筋を誇る家がたくさんあります。本願寺の法主にしても、宗教指導者への尊敬というより、血筋への尊敬でしょう。

ただ、血筋だけではない何かもある。それを「歴史」と言うべきか、「時間」と言うべきかはわかりませんが、京都の店は小さな店でも由緒を誇り、そこに高いプライドを持っています。たとえば、今宮神社の脇にあるあぶり餅の店は一〇〇〇年以上同じ商いをしていることになっています。平安時代から家業を受け継いでいるわけですから、ある意味で貴族です。

**磯田**　専門的な持ち場を守り長く続けていると、威厳がついてきます。日本では鍋・釜も古くなると妖怪になったり、池には主と呼ばれる魚がいたり、猫も尻尾の本数が増えて神通力のある猫又になったりする。少なくとも、それが物語になる。神話になる。つまり日本社会は、長く続けている人や家が力を持つ構造なのです。

**井上**　ただ、それは京都で突出しているように思います。たとえば、東京都民はとらやの羊羹(ようかん)を敬っているようですが、室町時代から四八〇年間続いている老舗(しにせ)なので敬っているというわけじゃあなさそうです。値段の高い高級品だから敬っているように感じます。

いっぽう、京都の四条通(しじょうどおり)に本店を構える和菓子屋の寛永堂(かんえいどう)について、京都人の多くは、寛永年間の創業であることを知っています。その寛永堂は、東京にもいくつか店を出しているのですが、何人かの東京人に聞いたところ、由緒を知っている人は一人もいませんでした。

**磯田**　私は寛永堂青山店の近くに二〇年以上住んでいましたが、確かに寛永堂の由来を語る東京人はいませんでした。

**井上**　川端道喜(かわばたどうき)という、室町時代に創業した和菓子屋があります。天皇家が京都にいた幕末まで、皇室に御朝物(おあさもの)を出していました。明智光秀が本能寺へ向かう直前に、粽(ちまき)をくるんでいた笹ごと食べたというエピソードは有名ですが、川端家の当主は、著書でこれを否定しています。

わが家では、光秀というのは非常に教養のある武将で、茶心もある人とされていま
す。つまり茶人であるから、粽を食べるときに笹ごと食べたんじゃなくて、笹を広げ
て、そして戦陣だから懐紙が手元になかったから笹で口元を隠して粽を食べたんだ、
それを知らないものがみて、笹ごと食ったようにいったんだろうというように考えら
れているわけです。（川端道喜著『和菓子の京都』岩波新書）。

大事なのは、本当かどうかではありません。うちでは、戦国時代のエピソードを語り継いでいるという自慢話になっているところが、大事なんです。これが、京都では敬われるのです。旅館の女将（おかみ）が「うちとこは、たかだか二五〇年くらいしか続いていませんけど」と前置きをして話をし始める。アメリカ合衆国よりも歴史が古くても「たかだか」と言う。これが京都なのです。

## 家システムの終焉

**井上**　老舗では、「このような創意工夫をしてきました」よりも、何代・何年続いている

かという継続性が自慢の種になりやすいのですが、これを維持するには涙ぐましい努力が要ります。

たとえば、勉強がよくできる跡継ぎがいて、教師も「京大に合格できる」と太鼓判を押した。でも親からすれば、京大卒業後に官庁や大企業などへ入られたらたまらない。何としても店の跡を継がさなければならない。そこで、親戚総出で「そんなろくでもない大学に入ったらいけない。同志社へ行け」と合唱する。

**磯田**　京大に合格して父親をあきらめさせるという話を聞きますけど。

**井上**　稀にそういうケースもありますが、多くの老舗で、主はメリトクラシー（業績評価社会）につながる高学歴を嫌いやすい。少なくとも、私の同世代にはいますよ。勉強はできたけど、親の反対で、京大なんかは受験をさせてもらえなかったという跡継ぎが。そのような状態で店を継がされたジュニアには、不満が溜まります。「高校の同級生には活躍している奴もおるのに、俺はこの店で算盤を弾いている」。この鬱憤が、洛外の人間に対するイケズとなって表われるのです。これを不幸なことと思う半面、それが京都らしさを保たせる源にもなっているとも思います。

磯田さんの先祖は鴨方藩（岡山藩の支藩）で家老を務めはったそうですが、何か伝わっていますか。

**磯田**　確かに、幕末は鴨方藩の重臣だったようです。二代目が藩の倹約政策での働きが藩主に認められ、出世したようです。幕末の当主は、藩主の教育係もしていました。私の祖父は婿養子でしたが、その経緯を次のように話していました。

「武士は合戦で討ち死にするだろう。討ち死にしたら、家を継ぐ者がいなくなり、先頭に立って敵陣に突入する奴がいなくなる。討ち死にしても家名を絶やさぬという約束のもと、婿養子という制度ができていた。もう合戦なんかなくなったのに、私はこの家に入り、名字を山田から磯田に変えた」

祖父には一回、碁盤をひっくり返されたことがあります。碁盤を裏返すと、中央が皿状になっています。それを指して、「まだ刀を差していた時代、武士が自刃すると、首をここに置いて血を溜めるために使ったんだ」などと物騒なことを言うのです。いわゆる「血溜まり」です。「その時分、武士の一言は命より重かった」とも言っていました。

祖父は若い時は京都市役所の技官で、桂川に架かる渡月橋の設計などに従事していました。エンジニアでしたから、磯田家の家系図を製図のように作成し、記憶していました。木造だった渡月橋は一九三四年に鉄筋コンクリート構造となるのですが、その数年後に、祖父は姫路の歩兵第三十九連隊に召集されます。二等兵でした。その時に「刀を持って行け」と言ったのが、同じく養子で磯田家に入った曽祖父です。

この刀は磯田家に代々伝わっていたもので、幕末に有栖川宮熾仁親王や明治天皇の外祖父である中山忠能の護衛をした、鴨方藩兵を指揮した先祖・由道が使用したものです。ですから、曽祖父からすれば、皇室護持と戦勝の霊力が宿っている、わが家の宝剣のようなものだったのでしょう。でも、祖父は二等兵ですから、「将校しか刀を持つことはできません」と答えたそうです。曽祖父にとって、戦争と言えば、西南戦争の頃の士族による戦のことで、徴兵によって成立している昭和陸軍のしくみは理解できなかったかもしれません。

すみません。ちょっと脱線してしまいましたが、要は、養子で入ってきた人はその家の再教育のシステムのなかで、その家のしきたりに忠実に従うわけです。このようにして、日本の家システムが維持されてきたのでしょう。

**井上**　「養子が勝手なことをした」と言われたくないから、実子よりも養子のほうが伝統や慣習を守ろうとするんやろね。

中国や朝鮮半島では、血筋が途絶えれば組織の存続を断念しようとすることが多いでしょう。でも、日本の場合、たとえば優秀な番頭を店の跡継ぎにして、家名を継がせようとします。子どもが女の子だけだったら婿養子、子どもがなければ順養子（弟・妹を養子にすること）、夫婦養子（夫婦がともに養子になること）を取る。老舗を継続させるためなら、血筋にこだわらない。つまり、血よりも家の継続性を重視したわけです。

**磯田**　易姓革命の考えがある大陸では、血筋が途絶えた＝天命が尽きたと考えるのかもしれません。いっぽう、日本の武家社会では、血筋が絶えた家でも、夫婦ともに養子で「名跡(みょうせき)を立てる」ことがありました。ただ、その場合、しばしば俸禄が減らされました。俸禄を減らされにくいのは、やはり男性の実子による相続継承です。ですから、武家の妻は世継ぎの男子を産むことが求められたのでしょう。古めかしい話です。

しかし、今では「お嬢さんが生まれてよかったですね」という会話も聞かれるようになりました。男の子は、あまり実家に帰ってこないから――だそうです。まあ、人によると思いますが。また、少子化が進み、墓じまいが始まっていることも考えると、日本人の家システムが終焉を迎えつつあるようにも思います。

## 新たな試みは辺境で始まる

**磯田**　老舗を尊び、継続性に重きを置くことからもわかるように、日本は先例主義です。公家社会の儀式典礼・しきたりを「有職故実」と言いますが、それだけ過去の慣習に通暁している人が重宝されたのです。経済学では、現在の状況で行なった決断が過去の経験や選択に左右されることを「経路依存性」と言います。ですから、人間も組織も新しいことを始めようとすると、しばしば障害に見舞われます。

日本史を振り返ると、新しいことをやりやすい場所が見えてきます。たとえば中世の場合、関東がそうでした。鎌倉幕府は京都の朝廷から離れて、新しい政治制度をスタートさせていますし、室町時代末期には古河（現・茨城県同市）・足利（現・栃木県同市）で、当時最先端の李朱医学が始まっています。李朱医学は、「医聖」とも言われる田代三喜が明国で学び、帰国後に始めた漢方医学です。そして、足利学校で三喜に学んだ曲直瀬道三が京都で広めました。

近世では、江戸幕府から離れた大坂に、町人が出資して作った懐徳堂、緒方洪庵の適塾などがありました。つまり、先例主義が強い日本では、新しいことが首都ではない場所で始まることが少なくないのです。

**井上**　鎌倉時代の奈良仏師・運慶にとって、関東人の感受性は幼く未熟に見えたかもしれません。でも、彼らとつきあうことで新しい表現の可能性を見出し、それを奈良・京都に持ち帰りました。辺境が持つ可能性は侮れないと思います。

**磯田**　幕末には、当時の政治の中心である京都から離れた萩（現・山口県同市）で、近代日本を作る人材が育ちました。吉田松陰の松下村塾です。

また、倒幕・維新は、江戸・京都・大坂から離れた地域で進める必要がありました。江戸は将軍様のお膝元で論外ですし、京都・大坂は倒幕の核になる外様大名の大藩がなかったからです。実際、倒幕の初期、天誅組は大和（現・奈良県）で蜂起しましたが、失敗しています。軍事政権である幕府を倒すには組織的武力が必要で、薩摩藩・長州藩のような外様大名の大藩が結びつかないと実現できません。それで、京都や江戸から遠く離れたところから、新しい動きが始まったのです。

現代もそうですが、首都で行なわれている議論では行き詰まりを解決できないことも多く、都心部から離れたところで、「○○モデル」のような実験が行なわれています。私が注目しているのは、熊本県です。赤ちゃんポスト・絆創膏・日本赤十字社からスクランブル交差点・くまモンまで、熊本発祥のものは少なくありません。また江戸時代後期、熊本藩の第七代藩主・細川重賢が行なった藩政改革は他藩のモデルになっていました。

このように、中心から離れたところでの実験結果が、歴史を動かすことがあります。カイロス時間の時に歴史を動かす人物が現われることを述べましたが、歴史を動かす空間が現われる点も見逃せないと思います。「イノベーションを起こすのは若者・馬鹿者・余所者」という言葉がありますが、この「余所者」が周縁・遠隔地・辺境にあたるわけです。

**井上**　都の座を失った京都は、一地方になりました。そのせいか、ベンチャービジネスが誕生しやすい土地になっています。そのことが、地元では、自虐と自慢が混じった言説で語られます。

## 「形」と「見立て」

**磯田**　かつて、紀さんという『記紀』にも登場する古代豪族紀氏の末裔で、東大を出て海軍将校や式部官を務めた元男爵にお会いしたことがあります。当時九〇歳くらいだったかなあ。東京の霞が関ビルディングにある霞会館（旧華族の親睦団体）でお会いしたのですが、「なぜ私を呼んだのですか」と聞くと、「『武士の家計簿』を読んだから」と言われる。

私が聞きたかったのは、日前神宮・國懸神宮（いずれも和歌山県和歌山市）のご神体である鏡についてです。この鏡は、天皇家に伝わる三種の神器の八咫鏡と同形とされるものだからです。紀さんの先祖が同神宮の宮司を代々務めてこられたので、「どのように伝わっているのですか」と聞いたら、「自分も見たことはない」とおっしゃるのです。

**井上** 八咫鏡は伊勢神宮のご神体になっており、それを象ったものが皇居にあります。仮に伊勢神宮の八咫鏡を盗むことができても、転売できません。だから盗む値打ちはないし、盗まれていないと思います。でも、大事なのはそれがあるか・ないかや、本当なのか・どうかじゃあありません。代々、「伝わっている」という物語なのです。「ここでずっと保たれていることにしましょう」という合意を成り立たせる。その意欲に、民族性を感じます。たとえ、アマテラス以来の八咫鏡そのものじゃあなかったとしても、「あんなの、にせものやないか」とはならない。あくまで「アマテラスの」という体裁で存続させることが大事なのです。

**磯田** 「形」という表現がふさわしいかもしれません。皇室の非課税相続品約五〇〇点の目録が情報公開で明らかになった際、三種の神器のうち、八咫鏡と草薙剣には（形代を含む）とカッコ書きがありました。ご本体は伊勢神宮と熱田神宮に祀られているということでしょう。日本人は形を好みます。実体よりも、形が保たれていることを重んじる「形」の文化なのです。

　この「形」の文化とともに挙げたいのが「見立て」の文化です。言い換えれば「○○なことにする」文化です。たとえば、ご神体を見なくても、「あることにする」でいい。それ以上、深入りしない。見立てによって儀式は執り行なえますし、敬えるからです。

**井上**　「王様は裸だ」と言い募る子どもを見下す文化なんですね。「あれは世間をようわからん子どもやから、あんなこと言うてるだけや。王様はきちんとした服を着たはることにしとかなあかんのや」というのが、老舗の態度です。「見立て」ですむから、大仰な建築物や立派な都市計画で、国民に権力や権威を見せつける必要もない。堀や城壁のない御所や、天守閣を焼失したままの江戸城でいいわけです。

**磯田**　見立てるから、最後まで詰めることをせずに、寛容に受け入れる。これは、プラスにもマイナスにもなっています。マイナス面として、見立てと辻褄の合わない事態が起こりやすいことが挙げられます。たとえば、原子力発電所は絶対に安全だという見立てで推進してきたけれども、「想定外」「予見不可能」な事態が起きてしまった。

太平洋戦争のミッドウェー海戦でも、事前に行なわれた図上演習では日本空母に大被害が出る結果になっていました。しかし、日本側が有利な結果になるまでやり直すなど勝てる「見立て」で戦ったら、やっぱり惨敗してしまいました。

いっぽう、見立ての文化がなければ、エビデンス（証拠）主義になります。古い家系が本当に続いているのを確かめるため、歴史時代に遡（さかのぼ）って「遺体のＤＮＡを調査する必要あり」などと言い出す人も出てくるかもしれません。実際、イギリスではそのようなことにもなっています。

**井上**　奥州藤原氏は頭蓋骨の計測までされています。

**磯田**　見立てが正しいか・正しくないかを検証するのが科学的な検査計測ですので、科学は見立ての対立概念なのかもしれません。いずれにしても、日本人の行動パターンを読み解くうえで「形」と「見立て」は重要な要素です。

**井上**　たとえ、科学で処理しなければならないことが増えていっても、私たちの根っこに潜む「見立てですます」傾向は、なかなかなくならないでしょう。

**磯田**　他の集団との交流・交渉には見立ては通用しません。逆に言えば、日本のように社会の流動性が少なく、孤立した空間だからこそ、見立ては通用するし、それゆえおもしろい文化を生み出すのではないでしょうか。特に、京都は盆地ですから、そのなかで〝発酵〟させるように、見立てを醸成してきたのかもしれません。

京都は本当に古い老舗もあれば、見立ててもらって、背伸びして古い「ことにしている」老舗もあります。「京都では三代続いたら、由緒は大げさに言っても大目に見てもらえる。真偽を言い出したら、ややこしくなるから」と言われた古株の京都人もいました。つまり、見立ててもらえるわけです。

**井上**　考え方が違うさまざまな人たちと出会うなかで、見立てはなくなっていくと考えたいところですが、京都が好きで京都に来る余所（よそ）の人たちには、見立てを好む人が多いような気もします。そんな新しい住民によっても、見立ての文化は保たれるのかもしれません。私はもうしばらく、京都の町でイケズとつきあわなあかんと思うてます（笑）。

# 第五章

# 時代で変わる英雄像

## 秀吉は大河ドラマの主人公になれない⁉

**磯田**　私は、われわれの「歴史のミカタ」に四つの世界観（歴史観）が影響を与えてきたと考えています。

第一が「儒教」で、中世・近世に限らず、戦前まで見られたと思います。第二が「国家主義」で、明治維新から太平洋戦争敗戦まで日本を覆っていました。第三が「マルクス主義」で戦後昭和の社会、特に言論・アカデミズムの分野に顕著でした。第四が、現在にもある「ポピュリズム」です。

ポピュリズムの歴史観では、その人物がイケメン（美人）だったり紳士（淑女）だったりすると、歴史的業績とは別に高評価になりやすい。だから、ＮＨＫ大河ドラマの主人公は現代の倫理に則って正室だけを愛した、当時としてはめずらしい武将が好まれます。女性関係が派手で愛妾が多かったりすると、なかなか決まりません。勝海舟は人気があっても不利です。この傾向は、平成末年以降だそうです。しかし、渋沢栄一は大河ドラマになりました（二〇二一年「青天を衝け」）。渋沢もいろいろあって（笑）子だくさんですが、一万円札に刷られるからでしょうか。

**井上**　すると今後、豊臣秀吉は大河ドラマの主役になりづらいかもしれない。

**磯田**　視聴者の半分を占める女性が不快に思うような設定は忌避されますから、秀吉の女性関係をどう扱うかでしょうね。

**井上**　まるで、好感度調査やね。猿のような秀吉が側室を持つのは許せないけれど、光源氏なら納得するという女性もいるのではありませんか。

**磯田**　美形願望は男女ともにあるでしょうが、それほど単純ではないようにも思います。意外かもしれませんが、『源氏物語』は視聴率や観客動員が難しいのです。現代日本人にすれば、平安時代は思想・文化・習慣が違いすぎ、まるで外国を見るようで、なじみが薄いのかもしれません。これが、応仁の乱以降だと、すっと入っていける。戦国時代以降と、それ以前では視聴者のウケ方が異なるようです。また、幕末まではウケても、洋服を着る明治以降は時代劇っぽくないのか、難しいそうです。

**井上**　城郭考古学者の千田嘉博さん（奈良大学教授）は、テレビ番組などで城跡を楽しそうに案内されています。その姿を見た視聴者は、千田さんが実際に城跡を見て下す判断より、その人柄を評価するかもしれません。「えらい無邪気にはしゃいだはる。ええ人なんやろうな」と親近感を感じるんじゃあないか、つまり、歴史学の本質とは違うところで歴史学者が評価されているわけです。磯田さんも大なり小なり、その波をかぶっているように思います。

**磯田**　千田先生は本当にいい人です（笑）。ただ、私もテレビには少々困惑しています。「見てほしいのは史料や史跡であって、私の表情や仕草ではありません」と言いたいところです。

とはいえ、テレビはすべてをキャラクター化する喜怒哀楽のメディアですから、感情に左右されやすく、どうしても限界があります。「歴史を好む層が広がった」と言われるのはとてもありがたく、テレビの力には感謝していますが、視聴者の方にはおもしろがりつつも、冷静に反芻・咀嚼していただきたいと思っています。出演者側も――これは自戒の念を込めてですが――ポピュリズムの危険性を自覚することが大事だと考えています。

**井上**　ポピュリズムの歴史観を抱く人たちは、大河ドラマや小説などで歴史観が左右されるんでしょうね。それが入口だとして、そこから思考をめぐらすことが大切ですし、歴史学の本当のおもしろさも、その次にあります。

だけど、こうも言える。歴史上の人物は、同時代からすでにキャラ化されていることがあります。そして、彼なり彼女なりを取り込む事態は、そんなキャラ化のからくりによって動かされることだってなくはありません。ポピュリズムは侮(あなど)れないのです。

## 関東史観と関西史観

**磯田**　世界観（歴史観）が変わることは価値観の変化ですから、時代によって評価される人物が変わったり、同じ人物が英雄にも悪党にもなったりします。

たとえば、織田信長・豊臣秀吉・徳川家康の三英傑で見ると、戦後、経済成長率が年平均一〇パーセントを超えていた高度経済成長下では、豊臣秀吉が持て囃(はや)されました。田中角栄が「今太閤」と呼ばれたのも、パイが広がって国民の格差が縮小するなか、庶民から首相に伸し上がった様(さま)を秀吉に重ねたわけです。「もしかしたら俺も」という夢が見られた時代です。

ところが、経済成長率が鈍化した安定成長時代になると、調整型の徳川家康が好まれ、手本とされるようになりました。また、戦後の激変で短期間で出世できたものが、この頃には地位の上昇に時間がかかるようになり、家康の「安定社会の建設」が受け始めたのではないでしょうか。

さらにバブル経済の崩壊後、「失われた二〇年」を経て閉塞感が漂うようになると、「安定社会」にいらだつ人たちに、革新的な織田信長が好まれるようになります。信長のような人物に、現状を打破してほしい、旧いシステムをぶっこわしてほしいと願ったのです。最近はコロナ禍によるマイナス成長のなか、不安が広がっていますから、安定を求めて、また家康人気になるかもしれません。

**井上** 時代ごとに変わる英雄像を考える場合、典型的な人物として挙げたいのが源頼朝です。江戸時代の歴史家で、頼朝を偉大な人物として描いている人はほとんどいません。むしろ、水戸学（水戸藩で興った学問で朱子学にもとづく尊王論を展開）の影響で、朝廷が中心となる秩序を崩した魁の人物として扱われています。

いっぽう、戦後のマルクス主義史観は、頼朝をあたかも土地革命の担い手であるかのように見なしました。それまでは、京都の公家社会が不在地主として荘園を支配していた。でも、頼朝は自分の力で関東平野を耕した在地領主の権利を認めようとする。言わば、土地革命を成し遂げたんだと、そう高く評価したのです。

**磯田** 井上さんが言われるように、頼朝は時代によって評価が変わります。江戸時代でも初期、徳川家康が征夷大将軍になった頃は、家康が『吾妻鏡』を収集・刊行したため、急にクローズアップされていました。また、明治以降、東京が事実上、首都の形になると、東日本出身の研究者は鎌倉幕府と頼朝をメインテーマに取り上げ、よく研究しました。
　いっぽう、東大など関東の大学で室町時代の研究が劇的に進んだのは、戦後もしばらく経ってからでした。それまでも、南北朝時代の政治史はよく研究されていましたが、室町時代の社会経済史や幕府の実態などの研究が深められたのは戦後です。関東地方の大学には鎌倉時代の研究者は多いですが、土地柄か、室町時代の研究者は史料の多さに比べて少ない傾向にありました。私のような「史料屋」から見ても、室町時代にはおもしろい史料がたくさん残っているのに、もったいないと思ったものです。

**井上**　関東の研究者は、頼朝の業績を輝かしく描くことに情熱を注いできたと思います。いわく――頼朝は富士川の合戦後、京都へ行かず鎌倉にとどまった。平氏とは違い、京都で公家文化に染まらなかったため、鎌倉で武士政権を育むことができたというわけです。京都にいたら堕落する。関東でこそ清新な武士(もののふ)が育つ。この京都を貶(おとし)めるミカタは、東京の政権ができた明治時代に作られたものです。
　鎌倉時代の軍記物語である『平家物語(へいけものがたり)』(信濃前司行長(しなののぜんじゆきなが)作とされる)は、もともと「雅(みやび)な平氏の公達が野蛮な関東の武士たちに滅ぼされたのは哀(あわ)れなことや」と嘆く鎮魂歌だったと思います。それを、明治時代以降の関東史観は「都の公家文化に染まって堕落した平氏は滅び、質実剛健で勤勉な武士たちが勝利した」という解釈に変えてしまった。そのほうが、富国強兵のイデオロギーに合致するからです。

**磯田** 確かに、映画やテレビドラマに出てくる公家は、しばしば妖怪のようです。武家や江戸町家の妻役の女優にはお歯黒をつけさせないのに、公家役はお歯黒をつけ、顔を白塗りにする。そのような不公平な扱いを、映画やテレビが無自覚に行なっています。

## おらが町のヒーロー

**磯田** 源頼朝の例からもわかるように、人物の評価は地域によって変わることがあります。やはり、その人物の出身地では身贔屓もあって高く評価することが多いのですが、この「ご当地の輝かしい人物・事象持ち上げ史観」が露骨にあることがおもしろい。

たとえば、私の郷里の岡山県では、やや大仰に「吉備王国（現在の岡山県を中心に兵庫県西部から広島県東部を支配した古代勢力）」などと言います。また、石川県では加賀藩にちなんで「金沢百万石まつり」をしています。鹿児島県では西郷隆盛の人気は今でも圧倒的ですし、山梨県では武田信玄を呼び捨てにすると怒られそうです。「信玄公」と呼んだほうがいい。山口県では『防長回天史』に書かれている明治維新史観がまだあるでしょうし、福島県では正反対の「白虎隊」史観を持っています。

**井上**　平取（北海道沙流郡）に行った時のことですが、郷土史家が地元の子どもたちに言うんですよ。「源義経は奥州平泉で敗れたあと、ここ平取まで来て亡くなりました。しかし、現在の国家は、義経が平泉で死んだとしている。悔しいけれども、試験の時は平泉で死んだことにしておこう。でも、義経の魂が眠っているのは平取だということを覚えておいてほしい」。そう教え諭していました。違和感がなかったわけでもないですが、歴史が豊かになっていいなとも思いました。

**磯田**　それらが、地域経済を活性化する町おこしの範囲ならいいでしょうが、偏った歴史観になるようだと実害が生じるので、じっくり考えなければなりません。

**井上**　ある大阪の企業ですが、韓国との合弁会社を設立することに合意して、オフィス最上階の社長室へ上がり、契約書のサインをするところまで漕ぎ着けた。ところが、社長室に豊臣秀吉の像を飾っていたため、契約は壊れたそうです。韓国側に、ポピュリズム的な反秀吉感情が作動したんでしょうね。もちろん、この会社側にも、太閤さん贔屓というポピュリズムはありました。これにとらわれると、未来の行動も縛られてしまいます。過去をどう読み解くかという歴史解釈だけに、とどまれなくなる。

**磯田**　ポピュリズムの歴史観には、他の歴史観と決定的に違う要素があります。それは、自らの価値観が問われることです。それまでの三つの歴史観は、時の権力者や権威者や活動家から、忠義・国家・労働者の権利など価値基準を外部から示されるものでした。しかし、ポピュリズムの歴史観は、本人自身で選んでいます。少なくとも、そう見えます。これは良いことでもあり、恐ろしいことでもあります。

たとえば、「洛中で生まれ育ったから、洛中をすばらしいと思う」「岡山県民だから、岡山県の学校を応援する」というのは、よくあります。悪いことではありません。しかし、ここから出発して地元愛が歴史観の軸となり、行きすぎると、まずいことが起きます。生得的な感情、もっと言えば本能的な「自分に近いものがかわいい」というエゴイズムに陥りやすくなるのです。ですから、それらが根底にあると自覚して公平性に気をつけることも必要です。誤解しないでいただきたいのですが、郷土愛や国家愛を否定しているわけではありません。私が言いたいのは、対象を偏愛するあまり、無意識のうちに狭い了見になって目を曇(くも)らせる危険性があるということです。

少なくとも、現在の私たちが歴史的事象や人物をポピュリズムの歴史観で見ていることを意識しなければなりません。

## 斬られた木像の首

**井上**　幕末の尊王熱で、室町幕府を嫌う歴史観が膨らまされます。足利氏の菩提寺である等持院にあった足利尊氏・義詮・義満の首が、木像の首ですけどね、斬られて京都・三条河原に晒されました。朝廷をないがしろにした人物として、テロの対象になったわけです（足利三代木像梟首事件）。

**磯田**　この事件に関連して、私はえらい目に遭ったことがあります。高校三年生の時、大学入学試験を受けたあと、その足ではじめて等持院を訪ねたのです。事件にかかわった人物のひとりが岡山県出身だったので、「うちの田舎に斬った者がいたと本で読んだのですが、この像ですか」とお寺の人に聞いたら、その方の顔がみるみる赤くなって「狂った連中やさかい」と一喝されました。まずいことを聞いてしまったと反省しました。

**井上**　それは災難やったね。明治政府も南朝を正統とする歴史観を掲げていましたから、源頼朝はともかく、足利将軍は好ましい存在じゃありませんでした。いっぽう、後醍醐天皇の呼びかけに応じて挙兵し、結局、尊氏軍に敗れて戦死した楠木正成は戦前、天皇の忠臣として高く評価され、敬われていました。

ところが戦後、国家主義の凋落とともに、その人気は急落します。逆に、尊氏の株は上がり、大河ドラマにもなりました（一九九一年「太平記」）。このように、人物の評価は時代によって大きく乱高下することもあります。

**磯田** 戦前、ほとんどの小学校には二宮金次郎（尊徳）像がありましたが、最近は見かけなくなりました。勤労・倹約・社会貢献によって経済と道徳の融和を図るとした「報徳思想」は旧弊とされたのか、あるいは戦後の価値観に合わなかったのか、いずれにせよ時代が変わって消えたもののひとつです。私は小学生の頃、この金次郎像の押しつけがましさが嫌でした。しかし、彼の報徳思想は嫌いではありません。けっして古びていないと思います。

銅像になると、時代背景など複雑な事情は考慮されなくなり、「偉人」として単純化され、現実とは違うメッセージを放ってしまいます。

**井上** あの像は、報徳思想でできているわけではありません。尊徳の伝記である『報徳記』（富田高慶著）を読むと、よく働き、よく学ぶ人だったとあります。でも、薪を背負いながら本を読んでいたという記述はありません。ですから、あれは尊徳の実像を反映しているわけでもないのです。「よく働く人」と「よく学ぶ人」をひとつの像で表現するために作られたものです。「野良仕事に精を出して、家の仕事も手伝いなさい。だけど、学校にも行ってきちんと学ぶんですよ」。そんな教えを植えつけようとしたのだと思います。勤労と勉学の両立を説く、教育的なアイコンですね。

あの像を校庭から取り除いたのは、戦後改革じゃあありません。学童には働かせず、もっぱら学ばせようとした時代の勢いでしょうね。銅像に関しては、戦時中の金属供出こそが、像の消失を、より強く後押ししたぐらいです。

**磯田**　銅像の象徴性は、世界でも問題を引き起こしています。二〇二〇年、アメリカで黒人男性が殺害された事件をきっかけに、コロンブスやセオドア・ルーズベルト元大統領、南北戦争のロバート・E・リー将軍の銅像が撤去されました。人種差別や植民地主義を象徴もしくは想像させるものとされたからです。その流れは海を越え、イギリスでは、十七世紀の商人で奴隷貿易により財を成したエドワード・コルストンの銅像が海に投棄されました。

**井上**　それだけ、彫刻には象徴としての力があるんですね。アメリカのニューヨークにある自由の女神像は、もともとフランス共和政のシンボルだったマリアンヌです。十九世紀のフランスにウジェーヌ・ドラクロワというロマン主義の画家がいましたよね。「民衆を導く自由の女神」という絵を描きました。上半身を半分さらけ出しながら、三色旗で民衆を導いているのがマリアンヌ、彼女です。

フランスでは第三共和政の時、パリの議事堂や庁舎などへマリアンヌ像を置くようになりました。各地へ普及したという点では、二宮金次郎像化したと言っていいのかな。そして、アメリカ合衆国独立一〇〇年を記念し、フランスはそんなマリアンヌ像を巨大化させてプレゼントしたのです。日本にも二宮金次郎像や楠木正成像など、象徴的な役割を期待された像はありますが、女性の像が歴史的なシンボルになったケースはあまりないように感じます。

## 英雄は作られる

**磯田**　マンガ家の里中満智子（さとなかまちこ）さんの『天上の虹』（講談社漫画文庫・全一一巻）は、主人公・持統天皇を中心に奈良時代の朝廷を描いた歴史マンガです。一九八三年に連載が始まり、二〇一五年に完結しました。おもしろいのは、連載前には持統天皇は歴史上の好きな人物に挙げられていませんでしたが、作品が佳境に入り、完結する頃には、好きな人物に挙げられるようになったことです。つまり、ひとつの作品で評価が変わったわけです。

同じように、司馬遼太郎さんの『竜馬がゆく』（文春文庫・全八巻）が坂本龍馬を有名にしたとよく言われます。

**井上**　ある程度はそうだと思いますが、高知の桂浜に坂本龍馬像ができたのは、戦前の一九二八年五月二十七日（海軍記念日）でした。『竜馬がゆく』より、ずっと前です。龍馬は海援隊の隊長であり、勝海舟とともに神戸海軍操練所の設立にかかわりました。それで、「海軍の父」とされ、おかげで太平洋戦争末期の金属供出に際しても、銅像は接収を免れています。ちなみに、高知県では山内一豊・山内容堂（豊信）・板垣退助の銅像が接収されています。戦前からすでに、旧大名や自由民権のリーダーより、声望は高かったんですね。特に海軍関係者からは英雄視されていました。

龍馬の人気へ最初に火をつけたのは、自由民権運動でしょう。一八八一年、国会開設と憲法制定をめぐって政府内の対立が激化し、参議の大隈重信（肥前藩出身）らが政府から追放されました。いわゆる、明治十四年の政変です。以後、明治政府は薩摩藩・長州藩出身者で固められていき、肥前藩・土佐藩出身者は政府内で力を失い、あるいは野に下っていきました。土佐などではそのため、反政府的な自由民権運動が盛んになります。そんな彼らの旗印と言うか、精神的な支柱が土佐藩出身の龍馬だったのです。

一八八三年に、土佐出身の自由民権運動家だった坂崎紫瀾は、龍馬の伝記小説『汗血千里の駒』（現・岩波文庫）を上梓します。龍馬が京都の寺田屋に逗留していた時、伏見奉行に押し込まれる。それを風呂に入っていたお龍は、事前に察知した。そして、裸のまま龍馬に知らせる場面があるじゃないですか。このヌードシーンを作ったのは紫瀾なのです。司馬さんも、これをもとに小説を書いたと思います。多くの日本人がこれを史実と思っているようですが、裏は取れていません。紫瀾の大胆な脚色でしょう。

**磯田**　お龍が危険を知らせたこと、お風呂に入っていたこと。これらは史料から言えそうですが、裸で駆けたとは史料にありません。このあたりは『龍馬史』（文春文庫）に書きました。

一九〇四年、日露戦争の開戦前夜、皇后（昭憲皇太后）の夢枕に龍馬が現われ、「私が帝国海軍をお守りします。ご安心ください」と告げたという趣旨の記事が、「時事新報」

に掲載されました。新聞に載ったからといって真実とは限りません。皇后からこの話を聞いたのは宮内官僚の香川敬三で、香川は水戸藩出身で尊王派の志士でした。そして、宮内大臣は土佐藩出身の田中光顕でした。新聞にリークしたのは田中という説があります。

薩摩・長州閥が明治政府を牛耳り、また「薩の海軍」と言われたように、海軍は薩摩閥が幅を利かせていました。この状況に危機感を抱いていた田中は、自分と同じ出身の龍馬を売り込んだと言う人もいます。

**井上**　薩長政権の思惑もあったように思います。土佐藩出身者などに実権は与えない。その代わりに、仮想世界では花を持たせた。「政府のなかはわれわれで固める。君たちに出番はない。不満だろうね。せいぜい、歴史語りで鬱憤を晴らしたらどうだ。たとえば、龍馬を英雄にして溜飲を下げたいのなら、どうぞ。大いにやりたまえ。それぐらいは、おまえたちに譲ろう」ということでしょう。

怨霊思想（後述）と似ていますね。「現実の世はわれわれが牛耳るから、あなたはイデオロギーの世界で羽ばたいてくれ」。そんな思いが結実したのだと思います。こうして、龍馬は土佐民権運動の英雄から海軍の英雄に成り上がり、さらに司馬さんが国民の英雄へ仕立て上げたように思います。

## もし坂本龍馬が生きていたら

**井上**　「歴史にイフ（もしも）はない」と言いますが、どうでしょう。仮定への想像が歴史のミカタを豊かにしてくれるのなら、悪いことでもないと思います。たとえば、坂本龍馬が暗殺されずに生き延びていたらどうなっていたか――。私は、イギリス相手の生糸商売で三菱以上の大富豪になっていたと想像します。

**磯田**　司馬遼太郎の『竜馬がゆく』最終章では、龍馬の維新後の姿を想像させる場面が出てきます。司馬さんは、龍馬に「世界の海援隊でもやりましょうかな」と答えさせています。この通り、新政府に入らず、貿易をしていたら、龍馬は三井物産・三菱商事・伊藤忠商事を凌ぐ総合商社の創立者として、われわれに記憶されたかもしれません。

**井上**　でも商売へ走っていたら、今日のような英雄にはなっていなかったと思います。大富豪とはならず、不幸な死に方をしたから、国民的英雄になったのです。

**磯田**　そうですね。ここで触れておきたいのが、幕末から明治に至るまで、背後で日本を動かしていたイギリスの力です。これはしばしば陰謀史観として語られることが多いのですが、けっして小さな力ではありません。過小評価されています。

イギリスの外交官アーネスト・サトウが書いているように、イギリスは、日本で思う存分に生糸を買いたかった。ところが、徳川の幕府では事実上、制限貿易しかできない。だから生糸を存分に買わせてくれる政権を作る方向に動いていったのです。ちなみに、生糸は当時の日本の最大の輸出品で、たとえば一八六二年における横浜港の総輸出額の大半を占めていました。

　イギリスは、幕末史の重要な局面でちらちらと顔を出しています。一八六八年の鳥羽・伏見の戦いでは幕府軍と新政府軍が戦い、幕府軍が敗れました。その後、徳川慶喜が大坂城に立て籠もって形勢挽回を図ろうとした時、イギリスは「われわれは局外中立を保たないかもしれない」などと脅(おど)しています。イギリス海軍が大坂城を海上封鎖したら、「詰(つ)み」です。だから慶喜は、わずかな手勢を連れて軍艦に乗り込み、江戸に戻ったのです。

　西郷隆盛も裏でイギリスと交渉しながら、倒幕を進めています。西郷の弟の従道が鳥羽・伏見の戦いで首を撃ち抜かれた時、治療したのはイギリス領事館の医師です。明治維新の背後で動いた当時の超大国イギリスの力について、教科書でも触れるべきだと思います。

**井上**　そうやね。イギリスは、龍馬をロビイストとして使っていました。もちろん、龍馬はイギリスの意向だけで動いたわけではないですが、当時最大・最強の大英帝国が持つ力を十分に理解していた。もし生き永らえたら、イギリスを相手に大きな商いをしたでしょうね。

いっぽう、龍馬は日本初の新婚旅行をするなど、現代の女性にも受ける要素を持ち合わせています。姉の乙女に書いた手紙もなかなかおもしろい。つまり、著述家が書きやすい人物なのです。作家に書いてみたいと思わせるところがあることも、のちの世に伝えられる大きな要素です。

## 英雄延命伝説

**井上**　坂本龍馬のように志半ば、あるいは若くして亡くなった人物はヒーローになりやすいですが、功成り名遂げた長命の人物はヒロイックに語られません。

**磯田**　確かに、「山県有朋に萌える」とは聞いたことがありません（笑）。長州閥の領袖として権力を握り、従一位・公爵・元帥陸軍大将・内閣総理大臣など極官に上った山県の墓に、ファンたちが思いを記すノートが置かれていることは想像できません。

**井上**　「吉田茂に萌える」もなさそうやね（笑）。天寿をまっとうできなかった人物の場合、「実は死んでいなかった」という延命譚も語られることがあります。たとえば、明智光秀は、山崎の戦いで敗れたあと、小栗栖（現・京都府京都市）で殺されはしなかった。生き延びて天海という僧侶になっている。ルイ十三世を補佐したリシュリュー枢機卿のように、徳川家康の知恵袋として幕政の一翼を担ったという伝説があります。

**磯田**　源義経・真田信繁・豊臣秀頼・西郷隆盛など、英雄延命伝説はたくさんあります。

**井上**　でも、のちの政権に入ったというのは光秀伝説だけです。この理由は何でしょう。

**磯田**　まず、光秀は類例がないほどの物知りで、天海も博識である点が共通しています。また、天海が出自についてほとんど話さなかったことも、話を作りやすくしています。さらに、信長をやっつけたのが光秀、光秀をやっつけたのが秀吉、秀吉をやっつけたのが家康で、それに協力したのが光秀という関係になります。

**井上**　「敵の敵は味方」というわけですか。

**磯田**　いえ、一代おきに天下人の姓氏が替わるということです。「源平交代説」に近いですね。源平交代説とは、源氏と平氏が交互に天下を制するというもので、平氏（平清盛など）→源氏（源頼朝など）→平氏（北条氏）→源氏（足利尊氏など）→平氏（織田信長）→源氏（明智光秀）↓平氏（豊臣秀吉）↓源氏（徳川家康など）などと、怪しくあてはめられています。まあ、俗説です。ただ、秀吉の平氏は苦しいですね。近衛家の猶子（養子扱いに近い）になって藤原姓となったり、正親町天皇から賜った豊臣姓になったりと変動していますから。

**井上**　光秀は天台宗の総本山である延暦寺への焼き打ちを実行したひとりであり、天海は天台宗の僧侶で、再興された延暦寺に学んでいます。上野の寛永寺は東叡山、つまり東国の比叡山に見立てられた寺です。その初代貫首になったのも天海です。天海は、天台宗の大ボスなんですよ。その天海を、よりにもよって、前身は比叡山焼き打ちの光秀だなんて――。あんまりやと思います。

**磯田**　私も、無茶だと思います。そもそも、光秀と天海の筆跡は合いません。ところが、私が出演した某テレビ番組では、別な出演者は「わざと筆跡を変えていることもある」と言い、さらに「だいたい、磯田さんは『忍者は筆跡を変えるため、天井から縄を吊って手を縛り、手の動きを変えて書いた。そうすれば他人の筆跡になる』と説明していたではないか」と突っ込みを入れてくる熱心な視聴者もいました。

**井上**　光秀が天海になって生き延びたと考えることで、うっとりできた人がいたのかな。

**磯田**　光秀は「あの憎っくき信長をよくぞ葬ってくれた」と、生存期待を抱く人がいたのでしょう。信長に虐殺されそうになった一向宗の門徒や延暦寺など、畿内のかなりの人々は、信長がいなくなってほっとした。光秀さん、ようやってくれはった！　という気持ちだったでしょう。信長は同時代の人々に、好かれていませんでした。現在に至るも、信長の遺体は見つかっていませんが、延命伝説がないのは、愛されていなかった証拠かもしれません。

**井上**　実は、大坂夏の陣で亡くなった淀殿にも延命伝説があるのです。江戸時代、淀殿は評判の悪い女性でした。「家康は豊臣氏を滅ぼそうとしたのではない」「淀殿がわがままで頑なな態度を取らなければ、あのような悲劇は起こらなかった」。以上のような歴史観も、幕藩体制下に増幅されます。

にもかかわらず、淀殿は利根川上流の総社（現・群馬県前橋市）で匿われたと語られている。同市の元景寺には淀殿の墓があり、彼女が乗った駕籠まであります。これは、愛されるがゆえの延命伝説じゃあありませんが、どう思いますか。

**磯田**　現地では、「お艶さま」と呼ばれていたそうです。美女伝説として語られたのでしょう。大坂の陣の時、淀殿ではない誰か奥向きの女性を保護して、国元に連れて帰った話が変形したのかもしれません。また、淀殿が不運のうちに亡くなったことがあると思います。つまり、御霊信仰（怨霊思想）です。御霊信仰とは怨みを呑んで死んでいった者の霊が災いをもたらすとして恐れられ、それを鎮めるために神として祀ることです。前述のように、日本人は敗者を悼む心性を持っていますから。

ちなみに『日本史用語集』（山川出版社）では、淀殿は「淀君」となっていますが、この表記は、淀殿を貶めるために徳川の世になって使われた呼称だと言う学者もいます。いまだに徳川史観から抜け出せていないわけです。

## 怨霊思想の根底にあるもの

**井上**　怨霊思想に関して、私は思うところがあります。奈良時代から室町時代にかけて、井上内親王・早良親王・菅原道真・平将門・崇徳上皇・後鳥羽上皇・順徳上皇・後醍醐天皇などが怨霊になったと言われています。一般的には、怨みを呑んで亡くなった人が怨霊になるとされています。でも、怨みを抱いたまま不遇のうちに亡くなった人は、彼らだけではありません。もっとたくさんいたはずです。

そこで、改めて怨霊になった人たちを見ると、彼らの多くが京都から追放されて亡くなったことに気づきます。ひょっとしたら、当時の人たちは、怨みを呑んで亡くなることよりも京都から追い出されることのほうが、怨霊化を促しやすいと思っていたのではないだろうか。死を余儀なくされることより、京都からの所払いを無念に思う。それだけ、都にしがみつきたがっていたのかもしれません。

たとえば、菅原道真は大宰府に左遷されたと言われていますが、与えられたポストは大宰権帥でした。今で言うなら筆頭支社の支社長ですから、けっして左遷ではなかったと思います。でも「藤原氏によって、都から追い払われたことをさぞかし怨んでいるだろう」という人々の思いが、怨霊伝説につながりました。

**磯田**　都から追放して、追放先で亡くなるのが、怨霊化するパターンです。日本では古来、死罪に次ぐ刑罰が流罪、つまり島流しでした。都で殺害すると穢れるから、配流先で始末する。海を隔てた島であれば、穢れが渡ってこないと考えたのです。でも逆に、遠くで死の実相が見えないこともあり、悪い黒雲になって都に入ってくるのではないかという恐怖心で語られるようになったわけです。

**井上**　平安時代から続く祇園祭は、かつて「祇園御霊会」と呼ばれていたことからもわかるように、怨霊を鎮めるものとして始まりました。具体的には、鉾(ほこ)を依り代(よりしろ)に悪霊を寄せつつ、しかし巡行をすることで、洛外に追い出す。そこには、洛中さえ清らかであればいいという「京都中華思想」が見て取れます。その悪霊が追い出された洛外で、私は育ったのです（笑）。

**磯田**　祇園祭については先日、新史料を見つけました。その史料によれば、北の海から牛頭(ごず)天王(てんのう)（疫病を防ぐ神として京都・八坂(やさか)神社などに祀られている。スサノオノミコトの化身(けしん)とも）が京都にやって来る。なぜ来るのかと言えば、牛頭天王は「婚活」の途中で、良き妻を探しに南へ行く途中だからだそうです。牛頭天王は疫病の神々を連れて北から入るのですが、古い祭りの形では、都の人から「粟飯(あわめし)」の接待を受けます。その場所が四条通の御旅所(おたびしょ)のところで、鴨川の流れに乗って出ていく先が今宮(いまみや)（現・大阪府大阪市）です。そして、牛頭天王は神輿に乗り、良き妻を探しに南へと去っていくのです。

つまり祇園祭は、鴨川を経由して京都から大阪に疫病を通過させるためのお祭りということになります。

**井上**　祇園祭見物で他府県から来る観光客に対して、私は「あれは、あなたたちのところへ穢れを放り出そうとしている洛中の祭りです」と、声を大にして言いたい。

**磯田**　所長らしいなあ（笑）。

## 外見至上主義と皆婚社会

**井上**　散っていった不運のヒーローを怨霊として恐れるいっぽう、類稀な美形と見るのもわが民族の特徴です。たとえば、牛若丸（源義経）が美少年であったかどうかはわかっていません。鎌倉時代の『平家物語』には出っ歯で小柄と書かれていますが、室町時代の『義経記』になると、とたんに美少年化されています。島原の乱の天草四郎時貞に至っては、もはや美少年でないと収まりがつかなくなっています。

**磯田**　いくつか史料を見ましたが、義経が美少年であるとは確認できませんでした。ただ、母親は絶世の美女だったという史料はあります。

**井上**　美少年としての天草四郎像は、後世に作られたフィクションでしょう。後世の人間は、ヒロイックに散華した人物へ美しい幻想を寄せやすい。さすがに写真が残ってしまうと、そのような幻想は持ちにくくなりした。でも、この英雄を美形化する歴史観が、われわれの根底にはあるような気がします。

**磯田**　いっぽうで、不細工でも忠義を尽くす人物を支持する傾向も、儒教的価値観の頃から根強くあります。

**井上**　儒教の場合は、ルックスなどに左右されないことを良しとするのではないですか。

**磯田**　そうなんです。戦国時代、毛利一門の吉川元春は、熊谷信直の娘で容姿に恵まれない新庄局を選んで結婚しました。吉川は「猛将である信直の婿になれば毛利軍が強くなり、それは父・毛利元就への『孝』になる」と述べたそうです。この逸話は『陰徳太平記』（香川宣阿著）にあるもので、儒教ではないかもしれませんが、江戸時代に美談として流布しています。

　このように、江戸時代には心映えの良い不美人と結婚する働き者・忠義者の男性を称賛する物語が多く語られました。年貢を取るため、働き者が何にも勝るという統治者側の都合もあったと思います。自分の好みでパートナーを選ぶ、誰を選ぼうと個人の自由というのが現代社会ですが、伝統社会では「容姿などの自分の好みは言わず、家に役立つ者を配偶者に選べ」という外部からの倫理的圧力が個人に働いていたのかもしれません。これが皆婚社会を作る道具立てのひとつだったという仮説も考えていますが、わかりません。

いずれにせよ、日本列島では一六五〇年頃から二〇〇〇年まで、婚姻率は高く、時に九〇パーセントを超えました。現在、婚姻率は下がり、生涯未婚率は男性二四・二パーセント、女性一四・九パーセントです（二〇一五年「国勢調査」）。ひょっとしたら、一六五〇年以前に戻っているかもしれない。

**井上**　醜女をもらう男を良しとする価値観で〝洗脳〟される前、つまり全員に分け隔てなく妻を与える戦略が広まる前は、「不細工だと嫁に行けない」ケースが多かったわけですか。

**磯田**　それはわかりません。ただ、中世は皆婚社会とは言えません。一生独身で、他家に隷属して働く男女が何割かは存在しました。中世末期の『御伽草子』（作者不詳）などには、最初は困難を背負っていたり貧しかったりした男が富裕になり、最後に見目麗しい姫と結婚してハッピーエンドで終わる「庶民の伸し上がり物語」が見受けられます。江戸時代にも民話として語られますが、道徳的な話とはされませんでした。

　いっぽう、美人だけれど性格の悪い女性と結婚する男性を称賛したり、外見は良いけれど働かない夫を一生懸命支える妻を褒めたりするような教訓話はほとんどありません。そこに私は、「とにかく配偶させて、働き者の家族を基盤に自分たち家族とムラの生活生産を成り立たせよう」「安定的に納税させよう」という同族・ムラ共同体・領主の共謀と圧力を感じるのです。

**井上**　江戸期の『女大学』（貝原益軒の著書をもとにしたと言われる）は、性格の悪い美人と性格の良い不美人を比べて、後者に軍配を上げた。これが明治の倫理書になると、きれいな人はみな性格が悪いとエスカレートしていきました。そして、不美人は性格が良いというイデオロギーも強化されたように思います。

**磯田**　驚異的な婚姻率・配偶率を達成するには、「まじめならいい」「好みにこだわるな」というイデオロギーが必要だったのかもしれません。そして領主は、戸別に家族の配偶状況を把握していました。その役割をはたしたのが、幕府が全国規模で展開した「宗門人別改帳」です。

## 早い段階で完成した国民管理

**磯田**　キリスト教を禁じた江戸幕府は、キリシタンではないことを証明させるため、民衆を檀家として寺院に所属させました（寺請制度）。そして、「宗門改め」として宗旨と所属寺院を、「人別改め」として家族構成員の性別や年齢を調査しました。つまり、信仰調査と人口調査です。両者を記載したのが宗門人別改帳で、毎年作成されました。特に、人別改めは享保以降、六年ごとに全国規模で行なわれました。今の国勢調査（五年ごと）を彷彿させます。

宗門人別改帳ができる前、戦国時代から江戸時代初期には、「人畜改帳」「家数人馬改帳」などと呼ばれるものが存在しました。その名のごとく、人間をひとりずつ、家畜を一頭ずつ帳簿につけていく。特に、男性は、身体的特徴や障害の有無についてまで書き込まれています。夫役に使えるか否かを判断するためです。

つまり、明治に近代的な中央集権国家が成立する以前から、国家による強い国民の人身管理は行なわれていたのです。

**井上**　肥前・平戸藩主の松浦清（清山）が『甲子夜話』という随筆集を書きました。そのなかにおもしろい話があります。ある村で女の子として育ってきた子が突然男の子と判明したため、男性として登録し直し、村人みんなで「良し」としていたらしいんですよ。

これと同様のことがヨーロッパの集落で起こったら、「悪魔の仕業」などと言われ、大問題になったと思います。ところが、わが民族は性が突然変わる事態をままあることと受け止め、怯(おび)えなかった。

**磯田**　日本では、人体を神の作品と考えず、自然の変化と見ているのかもしれません。近世の人別帳は男女の嘘偽報告が難しかったと思います。

　飢饉で農民が逃散(ちょうさん)したり、人口が減ったりしたため、天明(てんめい)の飢饉(ききん)の頃から領主は危機感を覚え、藩によっては「懐胎届(かいたいとどけ)」を出させるようになりました。つまり、女性が妊娠しているという事実を、国家が把握しようとしたわけです。場所によっては、生まれた子どもを間引(まび)かないように、村役人が出産している産室(さんしつ)まで入ってきて監視したそうです。

**井上**　それは、国家による管理がかなりの段階にまで至っていたことを示していると思います。

**磯田**　明治初期、日本国内を周遊したイギリスの旅行家イザベラ・バードは、秋田県・白沢(しらさわ)（現・同県大館(おおだて)市）の「戸数七一戸の、小さく静かな村」を訪れた際、自分の行動が巡査を通じて把握されていることに驚き、次のように記しています。

　中央集権化は日本政府の大原則であるが、法律がここでも首都と変わりなく強い力を得ているという事実、強い国家権力のその強さが［首都から］六〇〇マイル［九六〇キロ」以上も離れているのに強いままであるという事実は、驚嘆に値する。かつての〈隠密組織〉はなくなってしまっているが、東京の内務省が白沢の出来事を無数の報告書を通じて熟知していると私は確信している。（イサベラ・バード著、金坂清則訳注『完訳　日本奥地紀行2』平凡社東洋文庫）

つまり、国家の手が列島隅々（すみずみ）にまでおよんだ状態が明治初期には完成していたのです。これは、国民管理が深く広く浸透した江戸時代の土台があったからこそ、明治政府がなしえたことだと思います。

**井上**　幕府は国を閉ざして、キリシタンの摘発に血道を上げましたよね。そのせいもあって、人民を管理しようとする国家の意思は相当に強くなりました。

## 違うミカタとの出会い

**磯田**　エマニュエル・トッドは、著書のなかで「日本のように『完璧』を追い求めることや、実際に日本にある『完璧』と言えるような状態というのはその社会にとって、重荷にもなるのです。だから子供が減っているのでしょう」と指摘しています（『大分断』大野舞訳、ＰＨＰ新書）。

確かに、多くの日本人は何かモデル、たとえば大学入学↓卒業↓就職↓結婚というコースがあると、その順番で完璧にこなそうとする傾向があります。だから、在学中に子どもが生まれるケースは欧米よりも少なく、就職してから結婚する人の比率が高い。

いっぽう、タレントなどが不倫をすると、理想からはずれているので、みんなでいっせいに叩く。歴史を見る時も同様です。他人から与えられた形や価値観との距離で、完璧度を測ろうとする。他人が作った形に従うのは、割と楽です。自分の知識も思考も必要ないのですから。もちろん、不倫が良いことだとは思いません。また、すでにモデル化された「形」の理想を追求する生き方も悪いことではありません。しかし、完璧さを追い求めるあまり、日本人も日本社会も無理をして、行き詰まっているように感じます。もっと多様に、もっと寛容になっていいのではないでしょうか。特に学問の世界こそ、そうありたいものです。

**井上** 私は若い頃、イタリアのルネサンスに憧れを抱いた時期があって、関連書を貪るように読みました。考えさせられましたね。ミケランジェロ・ブオナローティやレオナルド・ダ・ヴィンチやラファエロ・サンティはどのようにとらえられるかという議論をしている人たちの約半数が、アメリカ人だったんですよ。イタリア人は一〇パーセントほどでした。つまり、ルネサンスの研究は世界に開かれている。イタリアの学界が、イタリアの都合で解釈や価値判断を独占したりすることはできないのです。

同様に、ドイツの作曲家ルートヴィヒ・ヴァン・ベートーヴェンの解釈に取り組んでいるのも、ドイツ人だけではありません。アメリカ人指揮者のレナード・バーンスタインも解釈を変えるし、日本人指揮者の小澤征爾さん・佐渡裕さんも新しい読み解きを見せる。それに対して、ドイツ人が「その手もありますか」と感心することはありえる。

アンデスの考古学で日本人が画期的な発見をすることだってありますし、エジプトのピラミッド研究で吉村作治さん（東日本国際大学学長、早稲田大学名誉教授）が新しいミカタを出したこともありました。

でもね、ルネサンスとほぼ同時代の室町時代後期、あるいは安土・桃山時代の文化史を研究しているのは九割方、日本人なんです。日本の学界は、日本人だけの読み解きで狩野派を評価している。アメリカ人やイタリア人などが提示する解釈で、狩野元信の位置づけを変えることは基本的にありません。口幅ったいことを言うようですけれども、そこを解き放つことが、日文研の役割だと考えています。「こんなミカタがある」という提案を特に外国の方に期待しているし、それを紹介していきたい。

私は、旧ソ連時代のコンスタンチン・ポポフという学者が書いた『日本』（邦題『ソビエトの東洋学者のみた日本』芹川嘉久子訳、イスクラ産業創立十周年記念事業委員会）を読んで、目を開かれたことがあります。そこでは、平城京が中世日本の都になっていました。つまり、奈良時代は中世だというのです。これを日文研に来たソ連の研究者にぶつけてみたところ、「ソ連では、奈良時代を中世として教えている」と答えてくれました。しかし、日本の学界は、奈良時代を古代にしているし、こんな時代区分を相手にしませんよね。

だけど、「われわれは奈良時代をなぜ古代にしてしまったのだろう」と自らを省みたり、「ほぉーそんなミカタもあるのか」と考えたりすることも大切なのではないでしょうか。「まちがったミカタ」として撥ねつけるのではなく、「違うミカタ」「新鮮なミカタ」との出会いに、まずは浸ってみる。そういうことが、歴史を見る時の隠し味や豊かな肥やしになると思います。

私は三十代前半の頃、日本建築および庭園の最高傑作とされる桂離宮（京都府京都市）

の評価がどのように作られていったのかを、『つくられた桂離宮神話』（講談社学術文庫）で検証しました。その後、『美人論』（朝日文庫）を書くために、オスカープロモーションで取材をする際、スケベなおじさんが好奇心で来たと思われたくないので、事前に「サントリー学芸賞受賞」という、いやらしい帯のついた『つくられた桂離宮神話』を送っておきました。取材当日、事務所の方が、三人の女性モデルへ「桂離宮について調べられた先生だ」と紹介してくれました。ところが、三人のうち二人が桂離宮の名を知りませんでした。しかも、ひとりからは「それ、大阪の落語家さんですか」と質問をされました（笑）。

衝撃的でした。私は桂離宮があれほど有名になったのはなぜか、を研究していたんですよ。その桂離宮が名前も知られていないとしたら、私の仕事は詐欺みたいなものじゃないですか（笑）。でも、賞をもらって調子に乗っていた私が、「桂離宮など知らない」と言う女性と出会えたことは大事な宝なのです。「違うミカタ」を示してくれるのは、外国の研究者だけに限らないのです。

**磯田**　違うミカタは「思考のワクチン」でもあります。閉ざされた島国で想像だけをたくましくしたり、特定のモデルだけを追い求めたりすると、広い世界の多様な変異への抗体ができないため、時代や環境が大きく変わる時、生き残りにくくなります。

**井上**　ワクチンかもしれませんが、雑菌かもしれない。でも、雑菌と一緒にいることで免疫力が高まり、強くなるのです。エマニュエル・トッドではありませんが、あまりに完璧で清潔な環境にいると自家中毒にかかりやすくなりますから、さまざまなミカタと出会うことが大事です。

## 歴史書の読み方

**磯田**　残念なことに、歴史書をほとんど読まない学生や若者が少なくないようです。
**井上**　どちらかと言うと、磯田さんのように小中学生の頃から歴史に目覚めている人はめずらしいんですよね。退職後に目覚める人はけっこういるんですが。
**磯田**　私は小さい頃から歴史に親しんできましたので、一周回って、今は専門研究者よりも生活者一般の感覚に近いと勝手に思っているのですが……。それはともかく、歴史のおもしろさを感じるには、やはり、いろいろな歴史書を読んでほしいと思います。
　おすすめの本は巻末の付録を見ていただくとして、たとえば、第四章で触れた網野善彦さんの著書は「全部は読めませんでした」でいいから、挑戦してほしい。ユニークな発想があります。これと対照的な歴史学者の永原慶二さん（一橋大学名誉教授、故人）の著書は「難しすぎる」でもいいから、アカデミックな中世史として、手に取ってほしい。また、一九三七年に文部省が発行した『国体の本義』は読みやすいので、目を通しておくと「日本にもこんな時代があったのか」と、ウルトラ国家主義の頃の皇国史観の姿を知ることができます。

　学校の授業で教えないことが書いてある本も読んでほしいですね。たとえば、一九二八年に刊行された『維新侠艶録』は、著者の井筒月翁が芸妓に取材してまとめたオーラル・ヒストリーですが、新撰組や維新の志士たちの生々しい姿が描かれています。もちろん、書いてあることすべてを「真実」として鵜呑みにはできませんが……。

**井上**　歴史の授業で名前を覚えさせられた元勲たちの裏面を知るだけでも価値がありますし、歴史のミカタを豊かにすると思います。日本史だけでなく世界史にもおもしろいものがあります（付録参照）。ありがたいことに、原典へあたらなくても、日本ではそこそこ翻訳がそろっている。先人たちの努力の賜物であり、日本語圏がけっして小さくないマーケットであることも幸いしていますね。

**磯田**　私が学生時代、後輩によく聞かれたのは「日本史もしくは近現代史の通史が体系的にわかる、いい本はないですか」という質問でした。しかし、この質問はおかしい。なぜなら、世の中の事象は最初から体系化されているわけではありません。せいぜい権威ある大学教授の学説が体系化されているだけのことです。そのような世間で常識とされる知識を持つことで安心する。それは、現在の学者や学界が思っていること・考えていることを知っただけであって、歴史を知ったことにはなりません。世の中は雑多なものです。むしろ、体系化されてない歴史のほうがおもしろい。

**井上**　受験勉強の延長で歴史学を考えると、そうなるんやろね。つまり、誰もが「正しい」と認める解答を知りたい。そのせいか、今の日本で求められる教養は、「俺はここまで知っている」というマウンティング（動物が自らの優位性を示すために馬乗りになる行為）の素材になりがちです。たとえば、『日本史用語集』（山川出版社）は、学校で教わる歴史事項を網羅的に収録しています。受験生はしばしば、あれを頭に詰め込んで、たがいの記憶量を競い合いますよね。歴史に対して、実に貧しいかかわり方です。

**磯田**　日本の研究者も歴史ファンも、完璧な完成品に目標を置こうとしていないでしょうか。「あそこがまちがっていた」「ここの考証が欠けている」「史料がきちんと読めていない」などと、完璧さばかりを追い求めている。でも、過剰に完璧さを求めるのは、教養がないことの裏返しです。幅広い知識を持たないから、狭いところで完璧を目指し、失点がないように他人から文句を言われまいとする。〝狭い〟専門家なら、無教養人でもできます。本当の教養とは「こんなとらえ方もできる」「ミカタを変えたら、こんなにおもしろい」と思える柔軟さにあると思います。

**井上**　そうやね。研究者が論文を書く場合は別として、一般の読者は知識量や正確さを競うより、「へぇー」「ほぉー」という感銘を与えてくれるところにウェイトを置いてみてもいいと思います。おもしろいと思うところから、歴史に入るわけです。「今はこう言われているから学ぼう」ではなく、「そんなミカタもあるのか」をエンジョイしてほしいですね。

**磯田**　歴史に限らず、「おもしろい」「楽しい」と感じることは大事です。なぜなら、人間はおもしろさや好奇心、興味がないところから、想像の翼を広げることはできないからです。そして、歴史書を読む際に重要なことは、自分や現在の日本が今抱えている課題を解決するには、昔の人ならどうしたかという視点で読むことです。

ローマ史研究家の本村凌二（もとむらりょうじ）さん（東京大学名誉教授）から聞いたのですが、本村さんの教え子のなかには、塩野七生（しおのななみ）さんの歴史小説『ローマ人の物語』（新潮文庫・全四三巻）を読んでローマ史に興味を持ち、大学院に進んでローマ史研究者になった人もいるそうです。また、ローマ史に親しむ機会を提供するものとして、ヤマザキマリさんのマンガ『テルマエ・ロマエ』（ビームコミックス・全六巻）を挙げられていました。本村さんは、小説やマンガに触れることで、その分野に興味を向ける新芽は等閑にしないようにしたいと言っていました。まったく同感です。

**井上**　そうやね。小説だから、マンガだからいけないと決めつけない態度こそ尊いと思います。いっぽうで、学生たちも全ローマ史はしんどいだろうけれど、興味を持った特定の人物や事象だけでも、かかわりのある本を読んでみてはどうだろうか。

たとえば、クレオパトラを扱った本でもいい。三、四冊読むと、さまざまなクレオパトラ像が存在することに気づきます。カエサルやネロについても、その解釈は、研究者や書き手によって異なる。「Aさんはこう書いているけれども、Bさんはこうとらえている。この違いは何だろうか」と考えることが、大学を卒業して仕事をする時に活きてくる。将来、研究者になるわけではない人が大学で学ぶ意味は、そこにもあると思います。

## 二十一世紀に求められるミカタ

**磯田**　時代によって英雄像が変わるということは、その時代に評価されたり、人気があったりする人物を見れば、その時代がある程度わかるということでもあります。その人物に、当時の人々が求めたものが投影されているからです。

儒教的価値観の時代には、君主への「忠義」と親への「孝行」が絶対的価値観でした。今は、家族をはじめとする「愛」や「自由」や「民主」が、良い価値とされています。私もその価値のなかで生きていますが、もしかすると一〇〇年後には「古臭い」と言われているかもしれません。歴史は人間を長い時間軸で考えるものですから、現在の価値観だけで考えないミカタは大切にしたいと思います。

**井上**　人気があった歴史上の人物から、その時代の価値観がわかるなら、テレビ番組である人物を取り上げたり、褒めたりすることで、日本人の価値観を変えることもできそうです。

**磯田**　ご指摘の通りだと思います。ですから、意識して気をつけています。たとえば、災害や感染症の対策に尽力した人物の話をする時はいいのですが、急に、ある人物が持ち上げられだしたら、「ちょっと待てよ」と冷静に考えます。

私が大事にしているのは、「舟に乗って川下りをしながら、岸辺の風景を眺めていくのが歴史である」という考え方です。目の前で見ていた風景も、遠ざかるにつれて姿を変えていくものであり、それを意識しなければ歴史に流されていくだけになってしまいます。

知人の医師から「歴史は過去のことだから、新たに研究することはないでしょう」と言われたことがあります。しかし、たとえ新史料が出なかったとしても、同じ歴史家が別の時代を生きれば、別の読み方が生まれます。その意味では、歴史学は客観的な学問ではないとも言えますが、人類誕生以来、人間の価値観は変化しており、その価値観の変遷を通して人間を柔軟かつ冷徹に見きわめることができるのも歴史学です。

**井上**　戦前を生きた歴史好きの少年なら、いや大人でも、縦横無尽に活躍する楠木正成像でうっとりしたことがあったでしょう。しかし、現在の経営者は、経営の参考に信長・秀吉・家康を取り上げることがあっても、正成へ思いを馳せませんよね。戦前と今とでは、決定的な違いがあるのです。

信長・秀吉・家康も、戦国時代を語る場合以外に取り上げられなくなる、あるいは、そもそも戦国時代自体が話題にならない時代だって来るかもしれません。

**磯田**　そうですね。信長に関しては、意外な取り上げられ方をされることもあります。たとえば、アフリカ系の弥助（やすけ）を家来にしたことをもって、ダイバーシティ（多様性）の先駆者のようにとらえるミカタです。これは、まさに現在の価値観による歴史のミカタです。

**井上**　日本の戦国武将で、ヨーロッパが語り継いできたのは、キリシタン大名の高山右近（たかやまうこん）です。あちらでオペラになったり演劇になったりした数では、他の日本人を圧倒しています。何しろ右近は、バチカンで列聖（れっせい）（聖人になること）される可能性を、今でも秘めているのですから。日本と違って、信長や秀吉はほとんど話題にならなかった。いっぽう、日本だと、戦国時代が好きな人でも、右近を論じることはほとんどありません。でも、歴史にはそういうところがあるのです。つまり、見る目が変われば、あるいは時代が変われば、歴史のミカタも変わる。

　ですから、本書の読者には「拠（よ）って立つ場所が変われば、歴史のミカタはこんなにも変わるのか。おもしろいな」という感受性を培うことをすすめたいのです。

**磯田**　多様なミカタをすることで「知」を楽しむわけですね。多様な歴史のミカタができることは、二十一世紀に生きるわれわれにとってきわめて重要だと思います。

# おわりに――「ミカタ」を豊かにする手だて

井上章一

歴史がテーマとなる対談の本を、私は今までに二冊、祥伝社から刊行した。ひとつは、本郷和人さんと語りあった『日本史のミカタ』（二〇一八年）。もうひとつの本では、佐藤賢一さんにつきあってもらった。『世界史のミカタ』（二〇一九年）が、それである。

あと一冊で、三冊になる。「ミカタ」の三部作ができる。どうです、やってみませんか。集大成として、正面から『歴史のミカタ』をかかげる本を、こしらえましょうよ。祥伝社の飯島英雄氏には、早くからそう声をかけられてきた。その誘いにのってしあげたのが、この本である。

今度の御相手には、磯田道史さんがいいんじゃあないでしょうか。飯島氏は、そうも言う。私にも異存はない。磯田さんは、時代や地域の枠をこえて歴史が語れる、希有（けう）な人である。『歴史のミカタ』に、これほどうってつけの学者はいない。

ただ、磯田さんは国際日本文化研究センターにつとめている。私と同じ職場で、仕事をしてこられた。のみならず、私はそんな磯田さんの上司になる。こういう企画は、磯田さんに気をつかわせるんじゃあないか。井上をやりこめすぎるのは、ほどほどにしておこう。以上のような配慮を、必要以上にさせてしまいはないかと、私はためらった。

逡巡する私を尻目に、飯島氏は磯田さんと話をつけている。快諾してもらえたという連絡も、いただいた。もう、とまどう必要はない。あとは、その場にのぞめばいいだけである。にもかかわらず、私のなかでは躊躇の気持ちが、消えきらない。小さくはなったが、残存しつづけた。

新型コロナとよばれる感染症におびえなければならない時期である。ふたりのやりとりも、そのただなかにかわされた。対面でのそれは、さけられている。いわゆるオンラインで、くりひろげられた。

話しあってわかったが、職場の上下にひっかかる必要はなかったと考える。磯田さんは、そういうしがらみをもちこむ人じゃあないと、あらためて確信した。そのいっぽうで、自分が事前にいだいたためらいの正体も、おぼろげながら見えてくる。

磯田さんは、ねっからの歴史家である。史料とむきあうことに、情熱をいだいている。こんな記録にでくわした。だれそれの覚え書きを、今度読むことができそうだ。そんな話をする時の磯田さんは、いつもたのしそうである。ああ、こういうことが好きなんだろうなど、私もうけとめてきた。

しかし、史学にしろうとである私は、その喜びがわかちあえない。古文書を読む力は、何度かトライもしたが、身につかなかった。そういうところでは、満足のいく話し相手になれないと思う。

画面へうつしだされる磯田さんの表情も、あまりかがやいては見えなかった。史料への惑溺(わくでき)を、私は語りあえる同志になれないのだと、かみしめる。ああ、私はこういう溝の可能性にとまどっていたのかと、われながら気もついた。まあ、リモートの画面にだって、問題はあったのかもしれないが。

歴史的に名の知られた人物や出来事の話には、たいてい尾鰭(おひれ)がついている。後世が語りつぐ過程で、さまざまに話がふくらまされるものである。この現象を、今かりに神話化とよんでおく。

歴史家たちは、そういう増幅部分をとりのぞいて、史実へせまろうとする。同時代の、また当事者たちの記録へわけいり、遡求(そきゅう)をこころみる。いわゆる一次史料が重んじられるのは、そのためである。

ただ、大学の研究者には、後世の学界がもたらした神話なら、背をむけない場合もある。あの学説は賛成者も多いし、今は同調しておいたほうがいい。そんな学界遊泳上の心配りもあって、神話の拡大に手をかすことがある。

磯田さんは、そういう弊からまぬがれているほうの学者だと思う。学界の趨勢より、見つけた史料のまっすぐな読み解きを、第一に考える。その点では、勇気のある人だと思う。おさないころから史料マニアだったという成育歴も、その強さをささえていよう。あるいは、学界の外に発表の場をもつことも、あずかっているかもしれないが。

自分のことを書くが、私は後世の神話化という現象を、けっこうおもしろがってきた。いつ、誰が、どういう事情で、こんなふうに話をふくらませてきたのか。そこを分析していこうとする癖がある。これまでに書いたいくつかの本も、そちら方面で力をつくそうとしてきた。

歴史は好きだが、もともと理科系からの文転組で、史料探索の能力はない。こんな私に、歴史語りへ参入できる途はないか。そこをさぐって、今の神話分析という手法へたどりついたのかもしれない。

いずれにせよ、磯田さんと私は対極的なところにいる。かたほうは、後世の尾鰭をとりのぞき、歴史そのものへ肉迫しようとする。もういっぽうは、尾鰭じたいの色や形をおいかけてきた。この本は、そんなふたりのかけあいにほかならない。
立場のちがう、ことなるまなざしが「歴史のミカタ」をゆたかにする。私たちは、本のなかでそう語りあっている。語り手の組みあわせじたいが、この揚言を実践しているのだと言いきり、結びとしたい。

二〇二一年六月

## 付録――おすすめ！「歴史のミカタ」を養う書籍

※出版元が複数ある場合は代表的なものを記した

### 伝記・人物伝

- 井筒月翁『維新俠艶録』中公文庫　二〇〇七年
- 反町茂雄『一古書肆の思い出』1〜5 平凡社ライブラリー　一九九八〜一九九九年
- プルターク著、河野与一訳『プルターク英雄伝』㈠〜㈩ 岩波文庫　一九九一年
- マルクス・アウレーリウス著、神谷美恵子訳『自省録』岩波文庫　二〇〇七年
- ラス・カーズ著、小宮正弘編訳『セント＝ヘレナ覚書』潮出版社　二〇〇六年
- ローレル・E・ファーイ著、藤岡啓介・佐々木千恵訳『ショスタコーヴィチ　ある生涯［改訂新版］』アルファベータ　二〇〇五年

### 語録

- ラ・ロシュフコー著、武藤剛史訳『箴言集』講談社学術文庫　二〇一九年

**政治・外交**

●W・S・チャーチル著、佐藤亮一訳『第二次世界大戦』1〜4 河出文庫 二〇〇一年
●宮崎市定『九品官人法の研究――科挙前史』中公文庫 一九九七年

**経済**

●アンガス・マディソン著、政治経済研究所監訳『世界経済史概観 紀元1年〜2030年』岩波書店 二〇一五年
●永原慶二『荘園』吉川弘文館 一九九八年
●カール・マルクス著、フリードリヒ・エンゲルス編、向坂逸郎訳『資本論』㈠〜㈨ 岩波文庫 一九六九〜一九七〇年
●宮崎市定著、礪波護編『東洋的近世』中公文庫 一九九九年

**戦争**

●アルベルト・シュペーア著、品田豊治訳『ナチス軍需相の証言――シュペーア回想録』上・下 中公文庫 二〇二〇年
●ジョミニ著、佐藤徳太郎訳『戦争概論』中公文庫 二〇〇一年
●カエサル著、國原吉之助訳『ガリア戦記』講談社学術文庫 一九九四年
●クラウゼヴィッツ著、清水多吉訳『戦争論』上・下 中公文庫 二〇〇一年

J・F・C・フラー著、中村好寿訳『フラー 制限戦争指導論』原書房 二〇〇九年

**事件**

●アーネスト・サトウ著、坂田精一訳『一外交官の見た明治維新』(上)・(下) 岩波文庫 一九六〇年
●アレクシス・ド・トクヴィル著、小山勉訳『旧体制と大革命』ちくま学文庫 一九九八年
●カール・マルクス著、植村邦彦訳、柄谷行人付論『ルイ・ボナパルトのブリュメール18日[初版]』平凡社ライブラリー 二〇〇八年

**災害**

●速水融『日本を襲ったスペイン・インフルエンザ――人類とウイルスの第一次世界戦争』藤原書店 二〇〇六年
●保立道久『歴史のなかの大地動乱――奈良・平安の地震と天皇』岩波新書 二〇一二年

**文明・宗教**

●網野善彦『増補 無縁・公界・楽――日本中世の自由と平和』平凡社ライブラリー 二〇一六年
●梅棹忠夫『文明の生態史観』中公文庫 一九九八年
●コリャード著、大塚光信校注『懺悔録』岩波文庫 一九八六年
●松原秀一『中世ヨーロッパの説話――東と西の出会い』中公文庫 一九九二年

●柳田國男著、小畠宏允監修リライト、田中正明校閲『新訂 先祖の話』石文社 二〇一一年

**美術・建築・風俗**……………………………………………………………

●上田篤『日本人とすまい』岩波新書 一九七四年
●花田清輝『日本のルネッサンス人』講談社文芸文庫 一九九二年
●御厨貴『権力の館を歩く——建築空間の政治学』ちくま文庫 二〇一三年
●柳田國男『明治大正史 世相篇 新装版』講談社学術文庫 一九九三年

**各国史**……………………………………………………………

●エドワード・ギボン著、中野好夫訳『ローマ帝国衰亡史』1〜10 ちくま学芸文庫 一九九六年
●内藤湖南『日本文化史研究』(上)・(下) 講談社学術文庫 一九七六年
●宮崎市定『中国史』(上)・(下) 岩波文庫 二〇一五年
●渡部昇一・本村凌二『国家の盛衰——3000年の歴史に学ぶ』祥伝社新書 二〇一四年

**遊牧民**……………………………………………………………

●梅棹忠夫『狩猟と遊牧の世界——自然社会の進化』講談社学術文庫 一九七六年
●杉山正明『遊牧民から見た世界史 増補版』日経ビジネス人文庫 二〇一一年

切りとり線

★読者のみなさまにお願い

この本をお読みになって、どんな感想をお持ちでしょうか。祥伝社のホームページから書評をお送りいただけたら、ありがたく存じます。今後の企画の参考にさせていただきます。また、次ページの原稿用紙を切り取り、左記まで郵送していただいても結構です。

お寄せいただいた書評は、ご了解のうえ新聞・雑誌などを通じて紹介させていただくこともあります。採用の場合は、特製図書カードを差しあげます。

なお、ご記入いただいたお名前、ご住所、ご連絡先等は、書評紹介の事前了解、謝礼のお届け以外の目的で利用することはありません。また、それらの情報を6カ月を越えて保管することもありません。

〒101-8701(お手紙は郵便番号だけで届きます)
祥伝社 新書編集部
電話03(3265)2310
祥伝社ブックレビュー www.shodensha.co.jp/bookreview

★本書の購買動機(媒体名、あるいは○をつけてください)

| ______新聞の広告を見て | ______誌の広告を見て | ______の書評を見て | ______の Web を見て | 書店で見かけて | 知人のすすめで |
|---|---|---|---|---|---|

★100字書評……歴史のミカタ

名前

住所

年齢

職業

井上章一　いのうえ・しょういち

国際日本文化研究センター所長。1955年京都市生まれ。京都大学大学院工学研究科修士課程修了。国際日本文化研究センター教授などを経て、現職。専門は建築史、意匠論。『つくられた桂離宮神話』でサントリー学芸賞、『南蛮幻想』で芸術選奨文部大臣賞を受賞。著書に『美人論』『京都ぎらい』など。

磯田道史　いそだ・みちふみ

国際日本文化研究センター教授。1970年岡山市生まれ。慶應義塾大学大学院文学研究科博士課程修了、博士（史学）。専門は日本近世史。『武士の家計簿』で新潮ドキュメント賞、『天災から日本史を読みなおす』で日本エッセイスト・クラブ賞を受賞。著書に『日本史の内幕』『感染症の日本史』など。

**歴史のミカタ**（れきし）

**井上章一**（いのうえしょういち）　**磯田道史**（いそだみちふみ）

2021年 7 月10日　初版第 1 刷発行

発行者……………辻 浩明

発行所……………祥伝社しょうでんしゃ

〒101-8701　東京都千代田区神田神保町3-3

電話　03(3265)2081(販売部)

電話　03(3265)2310(編集部)

電話　03(3265)3622(業務部)

ホームページ　www.shodensha.co.jp

装丁者……………盛川和洋

印刷所……………萩原印刷

製本所……………ナショナル製本



Printed in Japan　ISBN978-4-396-11630-9　C0220